Le but de cet ouvrage est de vous aider à mieux régler vos voiles et votre g[...] par le caractère à première vue un peu hermétique de la technique : si l'aér[...]constitue la base théorique de la plupart des livres de navigation, il n'est cependant pas nécessaire d'avoir une connaissance approfondie en la matière pour obtenir de bons résultats.

D'ailleurs, même si les «experts» en aérodynamique abondent et tentent d'expliquer les fonctions des voiles et des gréements à l'aide des dernières théories à la mode, celles-ci s'appliquent fréquemment aux cas particuliers mais plus rarement aux cas généraux. De plus, l'expérience et l'observation sont généralement plus instructives que l'application aveugle de théories parfois décalées avec la pratique du large.

Dans cet ouvrage, j'ai cependant tenté d'extraire les théories et les principes de base généralement admis dans le milieu de la navigation. Des illustrations, commentées par des textes concis, faciliteront la compréhension et la mise en pratique.

En bref, le but de ce travail a été de vous faciliter vos futures navigations et de les rendre plus performantes.

J'aimerais, enfin, remercier Olivier Leclercq pour la traduction du livre en français, aidé de Jean-Pierre Quignard, ainsi que Didier Ravon.

Ivar Dedekam

1. Comment régler génois et grand-voile

Principes d'aérodynamique

Par quel moyen un bateau à voile peut-il faire route face au vent ? La route directe n'est pas possible mais il peut naviguer d'environ **30 à 45 degrés** du vent. Pour comprendre les phénomènes physiques en jeu, prenez une feuille de papier et soufflez le long de sa surface : la différence de vitesse de l'écoulement d'air sur les deux surfaces crée une force de succion qui fait remonter la feuille (fig. 1).

Le même phénomène se produit lorsque de l'air s'écoule le long d'une voile (ou d'une aile d'avion). Le chemin emprunté par l'écoulement du côté sous le vent est plus long que celui emprunté par l'air du côté au vent (fig. 2).

Par conséquent, au côté sous le vent, la vitesse de l'écoulement augmente et la pression diminue, par rapport au côté au vent de la voile. Ceci est conforme au principe de Bernoulli qui affirme qu'une augmentation de vitesse dans un écoulement produit une diminution de pression. En pratique, un voilier progresse sur l'eau grâce à une différence de pression de chaque côté de ses voiles.

La force résultant de cette différence de pression s'appelle force aérodynamique. La force aérodynamique peut se décomposer en deux forces appelées : portance et traînée (fig. 3). La portance et la traînée augmentent avec la vitesse du vent, mais la traînée augmente plus vite. Par conséquent la décomposition en portance et traînée diffère en fonction de la vitesse du vent et de l'orientation de la voile. En naviguant près de la direction du vent, la portance doit être maximale et la traînée minimale. En s'éloignant de la direction du vent (largue et vent arrière), la traînée est moins pénalisante.

La force aérodynamique est décomposée en composante propulsive et composante de gîte (fig. 4). La composante propulsive est dans le sens de la progression du voilier, et celle de gîte est perpendiculaire au bateau.

Pour une remontée au vent optimale, il faut maximiser la composante propulsive et minimiser la composante de dérive.

L'efficacité de la quille est le facteur déterminant dans la capacité du bateau à remonter dans la direction du vent. De plus, elle est lestée afin de s'opposer à la gîte. La quille et le safran agissent dans l'eau comme le plan de voilure dans l'air.

L'écoulement de l'eau sur la quille produit une portance qui réduit la dérive du bateau. Au largue et au vent arrière la portance de la quille s'amenuise et disparaît à mesure que la force aérodynamique s'oriente dans l'axe du bateau.

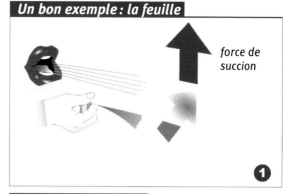

Un bon exemple : la feuille

force de succion

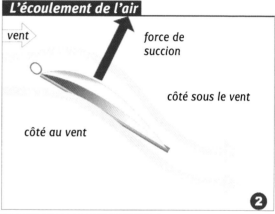

L'écoulement de l'air

vent

force de succion

côté sous le vent

côté au vent

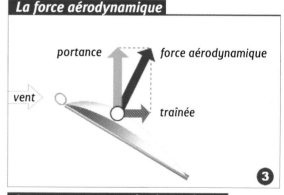

La force aérodynamique

portance

force aérodynamique

vent

traînée

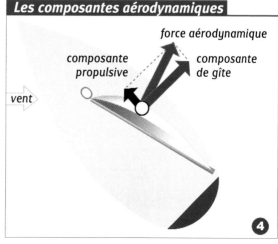

Les composantes aérodynamiques

force aérodynamique

composante propulsive

composante de gîte

vent

Le vent arrive sur la voile avec un angle d'incidence. Si cet angle est trop important, l'écoulement d'air le long de la voile décroche, créant des turbulences. L'effet de portance devient nul et le bateau perd en vitesse. Les turbulences augmentent la traînée et réduisent la progression du voilier, la gîte augmente. Si le bateau remonte trop au vent (angle d'incidence trop faible) le vent prend à contre et la voile faseye (fig. 5). Un bon test pour le réglage des voiles consiste à remonter au vent jusqu'à la limite du faseyement. Il faut noter qu'il est plus difficile de repérer une voile qui décroche qu'une voile qui faseye, son apparence ne changeant pas quand il y a décrochement de l'écoulement. C'est un piège typique pour les débutants !

> *En règle générale, une voile fournit*
> *un rendement optimum lorsqu'elle*
> *est réglée à la limite du faseyement.*

Une force peut se représenter comme la somme de deux composantes formant un parallélogramme. À l'inverse, deux forces s'ajoutent pour donner une résultante (fig. 6) – principe applicable à la vitesse, par exemple. À une force donnée, on peut lui définir une composante dans n'importe quelle direction, pour peu que la figure du parallélogramme soit respectée. Il est très utile de présenter une force comme la résultante de deux composantes ; cela permet de visualiser dans quelles directions spécifiques une force agit (par exemple, la force aérodynamique qui se décompose en forces propulsive et de gîte).

Si, un jour sans vent, vous naviguez à **10 nœuds** au moteur, vous sentirez un vent de face de **10 nœuds** : ceci est le vent apparent. Dans ce cas, il est opposé à la direction du voilier et égal en valeur absolue à sa vitesse. Le vent réel est alors nul. Le vent apparent est la combinaison (ou somme vectorielle) du vent réel et du vent vitesse engendré par la progression du bateau. Pour mieux comprendre, livrez-vous à ce petit exercice : dessinez le vent réel et le vent vitesse dans les bonnes directions (échelle : **0,5 centimètres = 2 nœuds**), puis tracez les parallèles (fig. 7). Le vent apparent correspond alors à la diagonale du parallélogramme construit.

> *Le vent apparent vient d'une direction*
> *plus avant que le vent réel,*
> *sauf dans le cas où le voilier navigue*
> *vent arrière, ou face au vent au moteur.*

Il faut noter également l'écart du vent apparent entre le près et le portant. C'est la raison pour laquelle un équipage au portant sera légèrement vêtu, alors qu'au même moment, un autre équipage remontant au vent aura une sensation de fraîcheur.

Le bon angle d'incidence

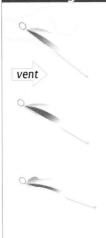

vent

Angle d'incidence trop important
L'écoulement décroche au niveau de la voile. Il n'est pas toujours possible d'éviter un décrochement, mais il faut régler les voiles de façon à ce que le décrochement soit le plus en arrière possible.

Angle d'incidence correct
Le décrochement se produit en arrière de la voile (non visible sur la figure).

Angle d'incidence trop faible
La voile faseye au niveau du mât et la portance se réduit de manière significative. ❺

La force : ses composantes, sa résultante

Une force peut se représenter comme la somme de deux composantes.

Des forces composantes peuvent s'ajouter, donnant ainsi une résultante.

❻

Le vent apparent et le vent réel

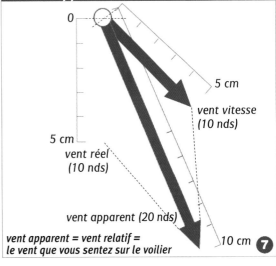

0

5 cm

vent vitesse (10 nds)

5 cm
vent réel (10 nds)

vent apparent (20 nds)

10 cm ❼

vent apparent = vent relatif = le vent que vous sentez sur le voilier

Le déplacement du bateau crée un vent vitesse opposé à son déplacement.

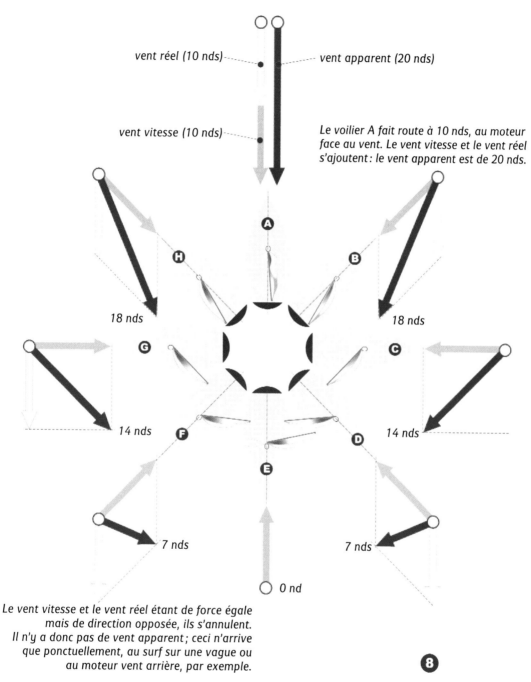

vent réel (10 nds)

vent apparent (20 nds)

vent vitesse (10 nds)

Le voilier A fait route à 10 nds, au moteur face au vent. Le vent vitesse et le vent réel s'ajoutent : le vent apparent est de 20 nds.

18 nds

18 nds

14 nds

14 nds

7 nds

7 nds

0 nd

Le vent vitesse et le vent réel étant de force égale mais de direction opposée, ils s'annulent. Il n'y a donc pas de vent apparent ; ceci n'arrive que ponctuellement, au surf sur une vague ou au moteur vent arrière, par exemple.

Les exemples H, G et F sont symétriques aux exemples B, C et D (image inversée). Notez l'importance des variations de la force du vent apparent – le vent que vous ressentez à bord. Il varie de 0 à 20 nds alors que les bateaux naviguent à la même vitesse, avec un vent réel de force identique.

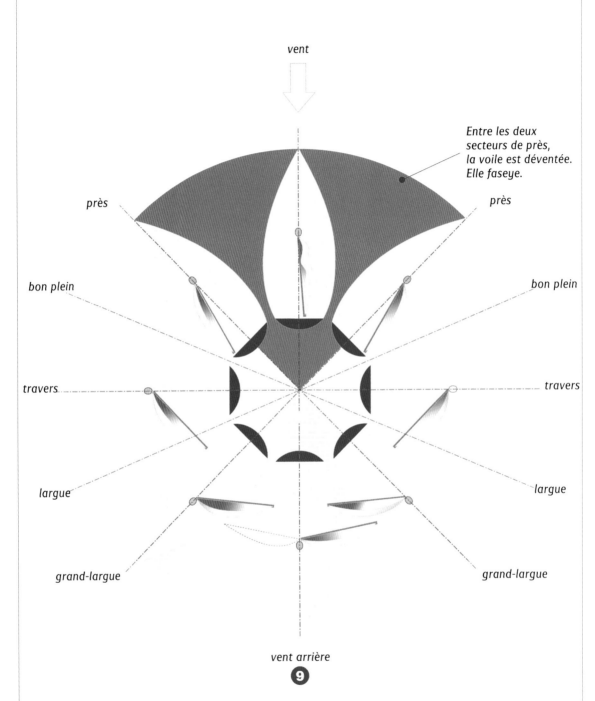

vent

Entre les deux
secteurs de près,
la voile est déventée.
Elle faseye.

près   près

bon plein   bon plein

travers   travers

largue   largue

grand-largue   grand-largue

vent arrière

9

	vent apparent	vent réel
près	20 - 30°	35 - 55°
travers	40 - 135°	55 - 150°
vt arrière	135 - 150°	150 - 180°

NB. Certains placent le largue en avant du travers, ce qui est également juste.

L'angle d'attaque

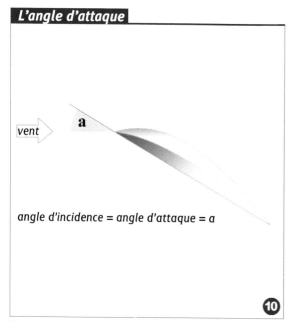

vent

a

angle d'incidence = angle d'attaque = a

10

Les voiles doivent être constamment réglées pour présenter un angle d'attaque correct (fig. 10). Lors des changements d'allure ou de vent, le réglage des voiles doit être modifié. Lors d'une abattée, les écoutes sont choquées afin d'augmenter l'angle formé par le plan de voilure et le bateau. Lors d'une auloffée, elles sont bordées.

Les allures de portant

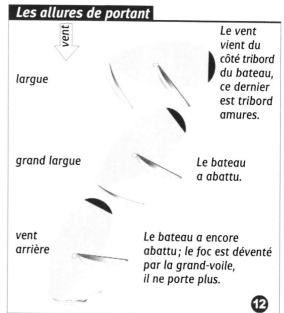

vent

largue — Le vent vient du côté tribord du bateau, ce dernier est tribord amures.

grand largue — Le bateau a abattu.

vent arrière — Le bateau a encore abattu; le foc est déventé par la grand-voile, il ne porte plus.

12

Abattant depuis le travers, vous arrivez au largue, puis au grand-largue et enfin au vent arrière (fig. 12). Les écoutes sont choquées jusqu'à ce qu'il soit impossible de maintenir le foc gonflé. Vous pouvez alors le passer de l'autre côté à l'aide d'un tangon (grand-voile et foc en ciseaux).

Les allures de près

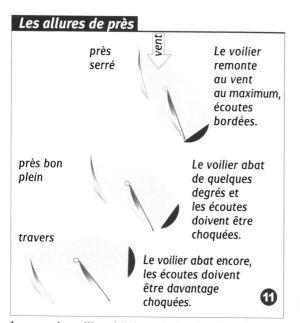

vent

près serré — Le voilier remonte au vent au maximum, écoutes bordées.

près bon plein — Le voilier abat de quelques degrés et les écoutes doivent être choquées.

travers — Le voilier abat encore, les écoutes doivent être davantage choquées.

11

Lorsque le voilier s'éloigne de la direction du vent, on dit qu'il abat. À l'inverse, quand il s'en rapproche, on dit qu'il lofe. En abattant, on passe d'abord successivement par les allures de près serré, près bon plein et travers (fig. 11).

L'empannage

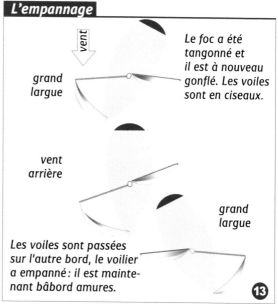

vent

grand largue — Le foc a été tangonné et il est à nouveau gonflé. Les voiles sont en ciseaux.

vent arrière

grand largue

Les voiles sont passées sur l'autre bord, le voilier a empanné: il est maintenant bâbord amures.

13

Au vent arrière, la grand-voile est choquée au maximum. Si le voilier continue à tourner dans cette direction, la grand-voile doit être passée sur l'autre bord du bateau: c'est l'empannage (fig. 13). Cette manœuvre demande une certaine expérience, surtout lorsque le vent forcit.

Profils des voiles

Le réglage correct des voiles réclame de la concentration. Trois éléments majeurs sont à prendre en considération :

▶ l'importance du creux de la voile,
▶ la position de ce creux,
▶ le contrôle du vrillage.

Le creux maximal caractérise l'importance du creux de la voile (fig. 14). La corde est la ligne plane imaginaire partant du guindant et arrivant à la chute (définie aussi par la bordure). Les bandes de visualisation sur la voile aident à évaluer le creux ; mais comme une mesure précise est difficile, le skipper utilise surtout ses yeux et son expérience pour estimer l'importance du creux.

Position du creux

Elle est définie par la distance entre le mât et l'endroit où le creux est maximum (fig. 15). Un creux maximal avancé réduit le ratio portance/traînée ainsi que la capacité de remontée au vent, mais rend le bateau plus facile à barrer ; ce réglage convient aux conditions plutôt dures et au barreur inexpérimenté.

Un creux maximal reculé donne un meilleur ratio portance/traînée et améliore la capacité de remontée au vent (fig. 14 et 15). Cependant le rendement de la voile retombe rapidement si le voilier n'est pas barré correctement.

Ce cas de figure convient davantage aux conditions de vent médium avec mer plate.

▶ Creux avancé dans les conditions difficiles.
▶ Creux reculé avec vent médium et mer plate.

Profils du génois

Le **profil** du génois au niveau du guindant est déterminant pour la marche du voilier.

Un profil creusé réduit la capacité de remonter au vent mais reste plus tolérant face aux variations de vent ; le voilier se barre plus facilement. Un profil affiné augmente la capacité de remontée au vent mais tolère moins les variations de vent ; le voilier doit se barrer plus finement (fig. 16).

Les réglages du pataras et de la drisse permettent d'agir sur le profil au niveau du guindant (page 17).

▶ Profil creusé :
le voilier est plus facile à barrer.
▶ Profil affiné :
le voilier est plus délicat à barrer.

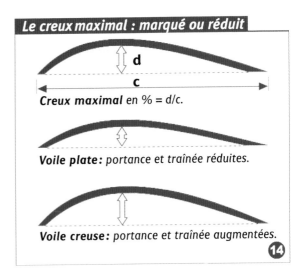

Le creux maximal : marqué ou réduit

Creux maximal en % = d/c.

Voile plate : portance et traînée réduites.

Voile creuse : portance et traînée augmentées.

14

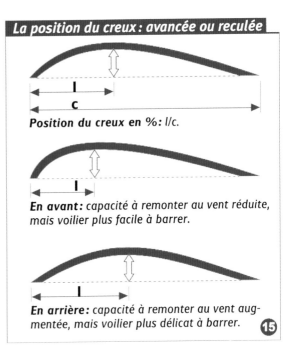

La position du creux : avancée ou reculée

Position du creux en % : l/c.

En avant : capacité à remonter au vent réduite, mais voilier plus facile à barrer.

En arrière : capacité à remonter au vent augmentée, mais voilier plus délicat à barrer.

15

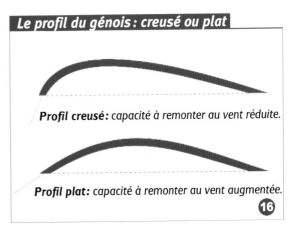

Le profil du génois : creusé ou plat

Profil creusé : capacité à remonter au vent réduite.

Profil plat : capacité à remonter au vent augmentée.

16

Vrillage des voiles

La vitesse du vent augmente avec l'altitude, le vent en tête de mat est plus important qu'au niveau du pont (fig. 17). Comme le vent vitesse généré par le voilier reste identique, l'addition vectorielle nous montre qu'en tête de mât, le vent apparent résultant est plus fort, avec un angle plus ouvert. Il faut alors trouver le bon réglage afin que l'angle d'incidence par rapport au vent apparent soit le même sur toute la hauteur de la voile. Ce résultat s'obtient en ouvrant le haut de la voile, c'est le vrillage. Le vrillage de la grand-voile se contrôle avec le hale-bas, l'écoute et la position du chariot d'écoute (fig. 21). Le vrillage du génois se contrôle par la position de l'avale-tout et la tension de l'écoute (fig. 24).

Utilité du vrillage

Pour un rendement optimal, la voile doit être davantage creusée dans sa partie supérieure (fig. 18). Ce réglage, difficile à estimer, est du ressort des régatiers expérimentés. La plupart des plaisanciers et des régatiers ne s'essaient pas à ce type de réglage fin ; ils se contentent du profil de la voile donné par le voilier lors de sa confection. Cependant, dans les vents forts, il est nécessaire d'ouvrir franchement le haut de la voile pour limiter la gîte. C'est un problème courant du plaisancier ; pour le résoudre, il faut augmenter le vrillage des voiles.

Profil et creux des voiles

Nous n'allons pas rentrer en détail dans la confection des voiles mais juste donner quelques informations sur la réalisation du profil et du creux. Le maître-voilier donne au guindant de la voile une forme incurvée et assemble les laizes de la voile, dont les sommets sont également incurvés. Lorsque la voile est envoyée sur un mât droit, un certain creux est alors donné. À partir de là, c'est à vous d'ajuster le profil de la voile. Les trois côtés de la voile s'appellent guindant, chute et bordure (fig. 19). Le guindant du génois est engagé dans l'étai (ou tenu par des mousquetons), celui de la grand-voile est engagé dans la gorge (ou ralingue) du mât. La bordure de la grand-voile est engagée dans la gorge de la bôme.

Génois et grand-voile sont fixés au bateau par :
▶ le point d'amure,
▶ le point de drisse,
▶ et le point d'écoute.

Attention ! Les termes nautiques prêtent parfois à confusion et plusieurs termes peuvent désigner la même chose. Par exemple, guindant = bord d'attaque.

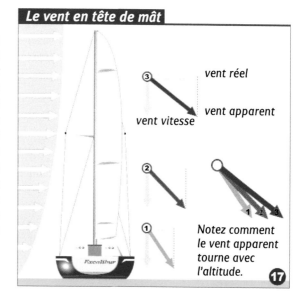

Le vent en tête de mât

vent réel

vent apparent

vent vitesse

③

②

①

Notez comment le vent apparent tourne avec l'altitude.

❶❼

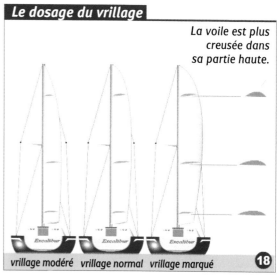

Le dosage du vrillage

La voile est plus creusée dans sa partie haute.

vrillage modéré   vrillage normal   vrillage marqué

❶❽

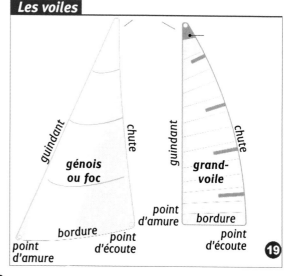

Les voiles

guindant

chute

génois ou foc

point d'amure

bordure

point d'écoute

guindant

chute

grand-voile

point d'amure

bordure

point d'écoute

❶❾

Les principaux éléments de réglages des voiles sont listés ci-dessous (fig. 20). Ils sont détaillés sur la page suivante.

Grand-voile
1. *Écoute*
2. *Chariot d'écoute*
3. *Hale-bas*
4. *Bordure*
5. *Pataras*
6. *Drisse*
7. *Cunningham.*

Génois et foc
8. *Drisse*
9. *Écoute*
10. *Point de tire / avale-tout*
11. *Étai.*

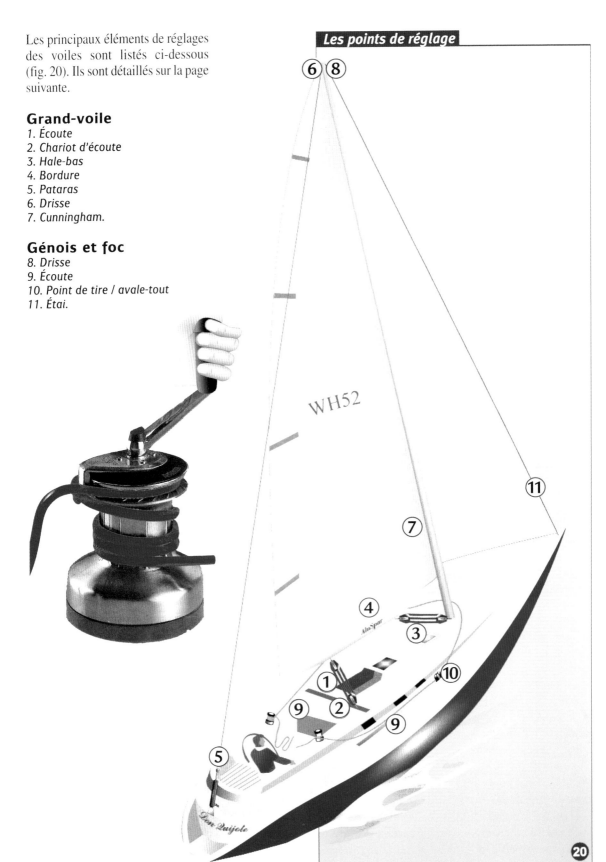

Les points de réglage

WH52

20

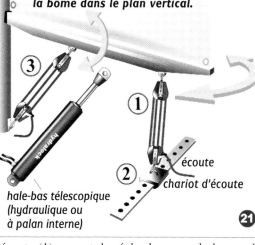

Le hale-bas contrôle l'angle de
la bôme dans le plan vertical.

écoute

chariot d'écoute

hale-bas télescopique
(hydraulique ou
à palan interne)

L'écoute (1) permet de régler le creux de la grand-voile selon la direction du vent. Le chariot (2) contrôle l'angle de la voilure par rapport au plan horizontal, ainsi que le vrillage de la voile. Aux allures portantes, le vrillage est contrôlé par le hale-bas (3).

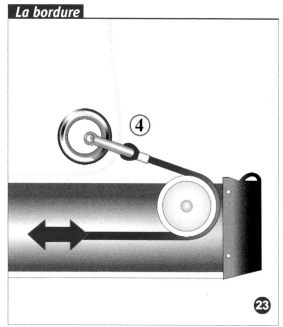

La bordure (4) de la grand-voile contrôle le creux dans la partie basse. Plus la bordure est tendue, plus la grand-voile s'aplatit. Le pataras (5, fig. 22) agit sur la courbure du mât. En tension, il permet d'aplatir ou d'ouvrir la grand-voile dans sa partie supérieure.

Les drisses de grand-voile (6) et de génois (7) sont utilisées pour hisser et affaler. La tension de drisse agit sur la position du creux de la voile. Plus la drisse est étarquée, plus le creux est avancé.

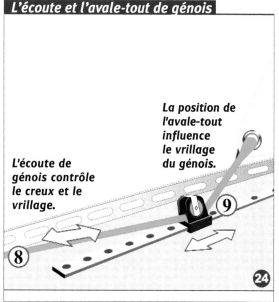

La position de
l'avale-tout
influence
le vrillage
du génois.

L'écoute de
génois contrôle
le creux et le
vrillage.

L'écoute (8) permet de modifier le creux et le vrillage du génois. L'avale-tout (9) permet de régler le point de tire du génois afin de contrôler son vrillage. La tension d'étai (10, fig. 22) est un élément important dans le réglage du génois ; cette tension est souvent ajustée par le pataras (5, fig. 22).

Divers

Le profil de la voile est déterminé à la conception par le maître-voilier. Le bord d'attaque et les différentes laizes sont mis en forme après de minutieux calculs. Lorsqu'une voile est envoyée, elle prend sa forme avec un certain creux à une certaine position (fig. 25). Il est possible de régler ces paramètres en fonction des conditions de vent et de mer.

Utilisation des penons

Les penons sont des bandelettes de tissu fin, ou des brins de laine, de **10 à 20 centimètres** collés sur la voile de manière à visualiser l'écoulement. Des penons tout faits sont disponibles chez les ship-chandlers, mais il est également possible de les confectionner soi-même en collant un brin de laine sur chaque face de la voile (fig. 26).

Aussi longtemps que l'écoulement d'air est non turbulent (on dit « laminaire »), le penon reste horizontal. Dès qu'il y a décrochement de l'écoulement à cause d'un mauvais réglage, l'écoulement devient turbulent et le penon commence à flotter dans l'air. La voile perd son rendement. Il y a alors plusieurs possibilités de correction.

> ▶ *Si le penon sous le vent flotte (A), c'est que vous descendez trop sous le vent. Vous pouvez alors soit choquer de l'écoute sans changer de cap, soit lofer sans intervenir sur l'écoute (fig. 27).*

> ▶ *Si le penon au vent flotte (C), c'est que vous remontez trop au vent. Vous pouvez alors soit border l'écoute sans changer de cap, soit abattre sans intervenir sur l'écoute (fig. 27).*

Le réglage est correct lorsque les penons reviennent à l'horizontale sur chaque côté, ce qui indique un bon écoulement à la surface de la voile. Toutefois, les penons peuvent s'orienter un peu à la verticale, notamment dans le vent fort (p 29, fig. 68).

Le barreur doit maintenir une bonne communication avec les régleurs s'il veut exploiter toutes les possibilités du bateau. Les penons demeurent le meilleur (et le moins cher) des instruments de réglage. Combinés à la girouette en tête de mat, ils apportent de précieuses informations sur le réglage des voiles.

L'ajout de bandes de visualisation sur les voiles permet de mieux juger de l'importance et de la position du creux de la voile. Si vous n'en avez pas, demandez au voilier d'en ajouter sur vos voiles. Certaines coutures peuvent être utilisées dans ce sens avant la pose de véritables bandes de visualisation.

La conception des voiles

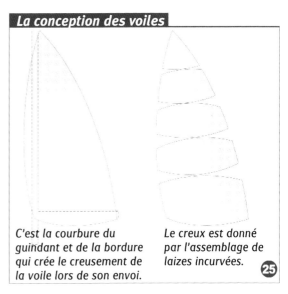

C'est la courbure du guindant et de la bordure qui crée le creusement de la voile lors de son envoi.

Le creux est donné par l'assemblage de laizes incurvées. **25**

Le bon emplacement des penons

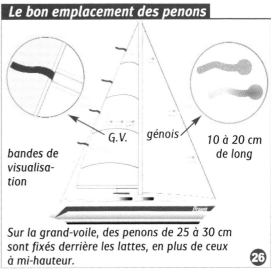

bandes de visualisa-tion

G.V. génois

10 à 20 cm de long

Sur la grand-voile, des penons de 25 à 30 cm sont fixés derrière les lattes, en plus de ceux à mi-hauteur. **26**

À retenir

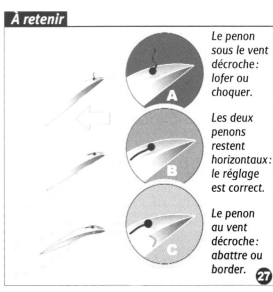

Le penon sous le vent décroche : lofer ou choquer.

A

Les deux penons restent horizontaux : le réglage est correct.

B

Le penon au vent décroche : abattre ou border.

C **27**

Réglage du génois

Sur un gréement en tête, le génois est souvent considéré comme le moteur du voilier. La grand-voile est davantage liée au contrôle du cap et à la capacité du bateau à remonter au vent. Ceci ne doit pas être pris trop à la lettre, les deux voiles interagissant l'une sur l'autre.

▶ *Le génois se règle pour générer de la force propulsive.*
▶ *La grand-voile se règle pour maintenir la direction et l'assiette.*

Pourquoi le génois est-il si important ?

Car il n'a pas de mât devant lui, qui lui créerait une traînée et des turbulences. Le génois peut être envoyé avec un angle au vent plus large que celui attendu, en raison de l'effet adonnant qu'il subit. Ce phénomène se caractérise par un changement de direction du flux d'air en amont d'une voile, avant que celui-ci ne l'atteigne (fig. 28). Ainsi, la poussée vélique est meilleure sur le génois que sur la grand-voile.

À l'inverse, la grand-voile subit l'effet refusant du génois ; elle doit être plus bordée que si elle était envoyée seule.

Les voiles d'avant sont numérotés n° 1, n° 2, n° 3 – en taille décroissante (fig. 29). Le génois n° 1 est le génois médium, le n° 2 est le foc inter et le n° 3 est le foc de route. La taille est définie par la mesure de la perpendiculaire au guindant (en géométrie la hauteur).

Le génois se caractérise aussi par son degré de recouvrement. Il s'agit de la surface du génois au-delà du mât. (fig. 29). Les valeurs courantes sont : pour le n° 1, 150 % ; le n° 2, 130-140 % ; et pour le n° 3, 100 % (donc pas de recouvrement). Il faut remarquer que les voiles les plus petites (exceptée la trinquette) ont un guindant aussi important que le n° 1, mais une bordure réduite. Ceci est dû au fait que les voiles longues et étroites ont un rendement supérieur.

Lorsque le vent monte, la gîte augmente et le bateau devient délicat à contrôler (fig. 49 et 50). Un génois plus petit est alors envoyé et la grand-voile est réduite. Ci-dessous, un exemple de tableau sur l'utilisation des différents génois en fonction des conditions de vent. Le mieux reste d'utiliser les indications fournies par votre maître-voilier.

Voile	Recouvre-ment (%)	Vent apparent	
		(m/s)	(noeuds)
léger	150	1 – 6	2 – 12
génois n° 1	150	3 – 10	6 – 20
génois n° 2	130	10 – 13	20 – 26
génois n°3	100	12 – 16	24 – 32

Le phénomène «d'adonnante»

Le flux d'air est dévié par la grand-voile, donnant au génois un angle au vent plus ouvert. Il est bordé en conséquence, avec un angle plus important par rapport à l'axe du voilier.

Les voiles d'arrière des voiliers à plusieurs mâts sont plus bordées que leurs voiles d'avant, réduisant ainsi l'angle par rapport à l'axe du voilier.

28

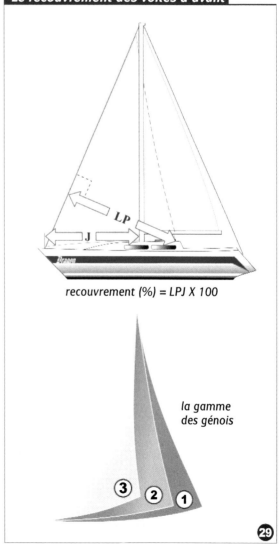
Le recouvrement des voiles d'avant

recouvrement (%) = LPJ X 100

la gamme des génois

29

Profil du génois

La figure 30 montre qu'il est déterminé par :
❶ *l'importance du creux,*
❷ *la position du creux,*
❸ *le vrillage.*

et qu'il se règle par :
❹ *la tension de l'écoute,*
❺ *la position de l'avale-tout,*
❻ *la tension du pataras,*
❼ *la tension de la drisse.*

Les éléments de réglage du génois

L'écoute est le premier élément de réglage courant. Il détermine l'angle de la voile par rapport à l'axe du bateau, mais affecte aussi le vrillage et l'importance du creux. Plus la voile est bordée, plus l'angle diminue et plus la capacité de remontée au vent s'accroît. Il faut néanmoins garder en tête qu'un élément de réglage a une fonction principale mais affecte aussi les autres caractéristiques du profil.

Lorsque vous bordez les écoutes :
l'angle de la voile, le vrillage et le creux diminuent.

Pour estimer la bonne tension d'écoute, il faut observer la distance entre la barre de flèche et le plan de voilure. Certains se réfèrent à la règle du poing (fig. 31), d'autres utilisent des bandes d'adhésif sur la barre de flèche (fig. 32).
La meilleure position diffère d'un voilier à l'autre, mais dans des conditions optimales – vent moyen et mer plate –, le génois peut être bordé au près jusqu'à effleurer la barre de flèche. Le cap est alors meilleur. Si vous privilégiez la vitesse par rapport au cap, choquez alors l'écoute. Par vent faible, c'est le réglage à adopter. La recherche du meilleur réglage se fait par la méthode essai / erreur.
Au près, lorsque le barreur abat pour atteindre le travers, il faut choquer l'écoute en maintenant constamment un angle correct entre le plan de voilure et l'axe du bateau. L'aide des penons est utile jusqu'au travers, tant que l'écoulement de l'air dans les voiles est laminaire. Au grand largue et au vent arrière, le schéma est plus complexe car l'écoulement est turbulent et les penons ne sont plus utilisables. Ceci sera traité plus loin dans ce livre.

Mémo des réglages au près :
▶ *1 poing d'écart, généralement, entre génois et barre de flèche,*
▶ *Deux tiers de poing lorsque la vitesse est privilégiée,*
▶ *Deux tiers de poing dans la brise,*
▶ *effleurement de la barre de flèche avec le plan de voilure dans des conditions optimales.*

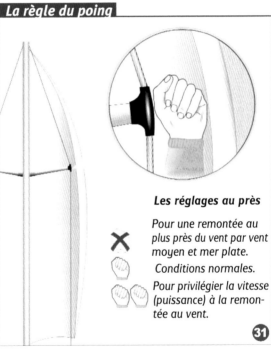

La règle du poing

Les réglages au près

Pour une remontée au plus près du vent par vent moyen et mer plate.
Conditions normales.
Pour privilégier la vitesse (puissance) à la remontée au vent.

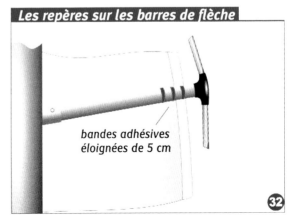

Les repères sur les barres de flèche

bandes adhésives
éloignées de 5 cm

Comment déterminer le bon vrillage

Lors d'une remontée au vent, en premier lieu, il faut positionner l'avale-tout de manière à ce que le prolongement de l'écoute sépare le bord d'attaque du génois en deux parties égales (fig. 33). Puis, ajuster cette position grâce à l'utilisation des penons comme décrit ci-dessous. La voile doit vriller pour gérer les changements du vent apparent.

Le génois est correctement vrillé quand, lors d'une remontée au vent, le génois dévente simultanément sur l'ensemble de sa hauteur et que les penons au vent commencent à décrocher en même temps.

> ▶ Le génois est vrillé correctement lorsque :
> la voile dévente simultanément de bas en haut,
> donc les penons au vent décrochent en même temps.

Le génois est trop vrillé lors d'une remontée au vent s'il dévente en premier dans sa partie haute – donc si le penon du haut au vent décroche en premier. Déplacez alors le point de tire en avançant l'avale-tout (fig.34). La tension d'écoute s'accroît alors en s'orientant vers le bas, le vrillage diminue. Le creux de la voile dans le bas est plus important en raison de la diminution de la composante horizontale de la tension d'écoute.

> ▶ Le génois est trop vrillé lorsque :
> la voile dévente en premier dans sa partie haute,
> donc le penon du haut au vent décroche en premier.

Au contraire, le génois n'est pas assez vrillé lors d'une remontée au vent s'il dévente en premier dans sa partie basse, donc si le penon du bas au vent décroche en premier. Déplacez alors le point de tire en reculant l'avale-tout (fig.35). La tension d'écoute vers le bas diminue alors, le point d'écoute monte et la partie haute du génois s'ouvre en s'orientant sous le vent. La partie basse de la voile s'aplatit en raison de la tension d'écoute plus horizontale.

> ▶ Le génois n'est pas assez vrillé lorsque :
> la voile dévente en premier dans sa partie basse, donc
> le penon du bas au vent décroche en premier.

Le petit mémo suivant s'avérera bien utile :

> ▶ lorsque l'avale-tout est déplacé vers l'avant, le vrillage diminue, la voile se creuse dans sa partie basse,
> ▶ lorsque l'avale-tout est déplacé vers l'arrière, le vrillage augmente, la voile s'aplatit dans sa partie basse.

À noter : il vaut mieux avoir des voiles trop vrillées que pas assez, le bateau sera plus facile à barrer.

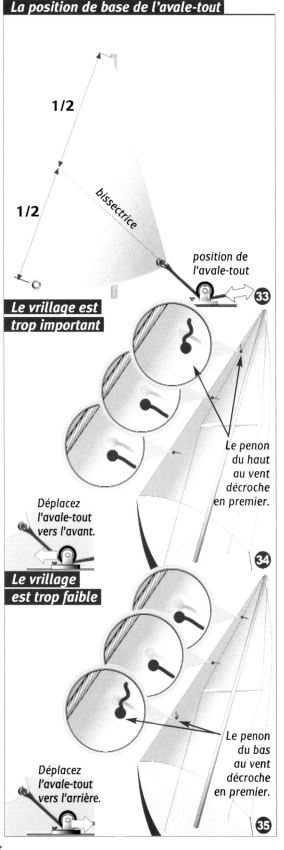

La position de base de l'avale-tout

1/2

bissectrice

1/2

position de l'avale-tout

33

Le vrillage est trop important

Déplacez l'avale-tout vers l'avant.

Le penon du haut au vent décroche en premier.

34

Le vrillage est trop faible

Déplacez l'avale-tout vers l'arrière.

Le penon du bas au vent décroche en premier.

35

Réglage de la tension d'écoute

Lorsque le vrillage correct est trouvé, l'ouverture du plan de voilure est ajustée avec l'écoute, en s'aidant des penons (fig. 35). Lors d'une navigation où vous ne pouvez modifier que le cap, placez-vous à la barre, écoute réglée et passée au self-tailing :

> ▸ *si les penons au vent décrochent, abattez,*
> ▸ *si les penons sous le vent décrochent, lofez.*

Lors d'une navigation où vous pouvez intervenir soit sur le cap, soit sur l'écoute :

> ▸ *si les penons au vent décrochent, abattez ou bordez l'écoute (fig. 36),*
> ▸ *si les penons sous le vent décrochent, lofez ou choquez l'écoute (fig. 37).*

Sur un parcours d'un point A à un point B, il est judicieux d'ajuster les voiles et de garder le même cap (s'il n'y a pas de modifications du vent).

Remarque : dans les risées, le vent apparent se décale toujours vers l'arrière (la vitesse du bateau reste constante mais le vent réel augmente). Choquez l'écoute dans les risées, et bordez lorsque le vent mollit. Et pour privilégier le gain au vent, lofez dans les risées et abattez quand le vent mollit.

Néanmoins, le vent apparent peut se décaler vers l'avant si, dans la risée, le vent réel se décale lui-même vers l'avant. On dit qu'il refuse. Il faut alors abattre, ou border un peu l'écoute. Si le vent réel se décale vers l'arrière dans la risée, on dit qu'il adonne. Le vent apparent se décale alors encore plus que lors d'une risée sans changement de direction.

En régate, le régleur de génois doit répercuter chaque modification du vent apparent. En effet, il est plus rapide et aisé de modifier le réglage des voiles que de changer de cap (« un coup de barre, un coup de frein », dit l'adage). Le régleur doit ajuster rapidement les écoutes dans les changements de vent, et les ajuster progressivement lors des changements de cap.

Habituellement, les plaisanciers ne règlent pas les voiles dans les risées. Ils se contentent de lofer dans les rafales et d'abattre lorsque le vent mollit. La vitesse du voilier n'est pas optimale, mais l'équipage est moins sollicité. Même si vous choisissez de ne pas appliquer ces réglages fins, il est toujours bon de connaître les différents éléments de réglages et leurs conséquences dans diverses conditions.

Un réglage de voiles correct vous permettra de gagner bien des milles et d'éviter, sur une longue navigation, de passer trop de temps dans des conditions de mer difficile ou dans la « pétole ».

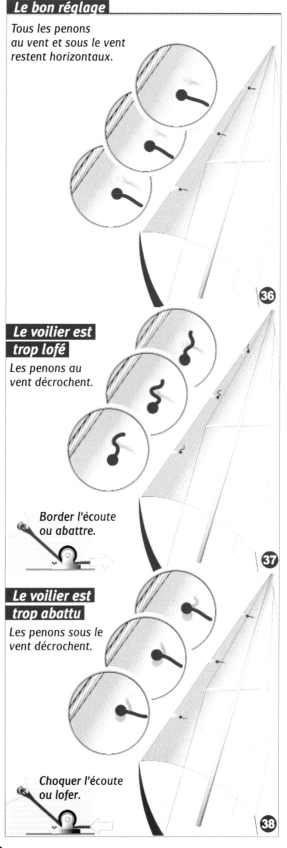

Le bon réglage

Tous les penons au vent et sous le vent restent horizontaux.

36

Le voilier est trop lofé

Les penons au vent décrochent.

Border l'écoute ou abattre.

37

Le voilier est trop abattu

Les penons sous le vent décrochent.

Choquer l'écoute ou lofer.

38

Réglage du creux

La tension d'étai contrôle le creux dans les parties hautes et médianes. L'étai a tendance à se cintrer sous le vent.

Avec un étai peu tendu, la flèche augmente, donc le creux également. Le génois se creuse tout d'abord dans sa moitié supérieure, là où le cintrage est le plus important par rapport à la longueur de corde. Le profil au niveau du guindant est plus creusé et plus rond (fig. 39 et 40). Ce réglage permet une conduite à la barre plus facile, mais réduit la capacité de remontée au vent.

> ‣ *Étai tendu : voile plate et bord d'attaque plus fin.*
> ‣ *Étai détendu : voile creusée et bord d'attaque plus rond.*

Sur eau plate, il vaut mieux tendre l'étai – excepté dans les petits airs où la voile doit rester creuse (avec tension d'étai à **25 %** du maximum).

Dans le clapot, il est préférable de réduire la tension d'étai pour un profil plus creux et plus rond. La conduite à la barre sera plus aisée, sans d'incessants réglages de voile à chaque petit changement de cap. Il faudra aussi relâcher la drisse de génois pour éviter que le creux soit trop en avant.

Évaluation de la tension d'étai maximale

Une méthode consiste à observer le cintrage au près avec le génois dans 20 nœuds de vent apparent. Démarrez avec une tension faible. Observez l'étai au point d'amure pendant qu'un équipier reprend de la tension. La tension maximale est trouvée lorsque la flèche d'étai ne se réduit plus.

Sur les voiliers à gréement en tête et, dans une certaine mesure, à gréement fractionné (fig. 41), la tension d'étai se règle grâce au pataras. Notez les bons réglages par écrit. S'il est difficile de régler le pataras en mer, adoptez un réglage aux deux tiers de la tension maximale (pages 33 et 64). Sur les gréements fractionnés, la tension d'étai se contrôle grâce aux bastaques et aux haubans (pages 69-70).

Attention : une fois la quête du mât correctement établie, il ne faut plus ajuster la longueur de l'étai.

> *Un étai tendu (voile plate) est préférable :*
> ‣ *sur eau plate avec vent moyen à fort,*
> ‣ *et pour privilégier le cap à la vitesse.*

> *Un étai peu tendu (voile creusée) est préférable :*
> ‣ *avec du clapot,*
> ‣ *par vent faible,*
> ‣ *et pour privilégier la vitesse au cap.*

Le bord d'attaque selon la tension de l'étai

cintrage

étai tendu   étai mou

39

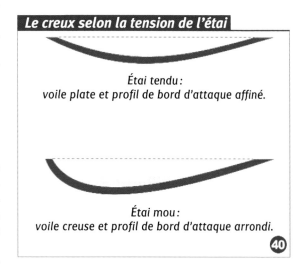

Le creux selon la tension de l'étai

Étai tendu :
voile plate et profil de bord d'attaque affiné.

Étai mou :
voile creuse et profil de bord d'attaque arrondi.

40

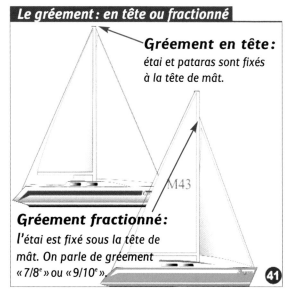

Le gréement : en tête ou fractionné

Gréement en tête :
étai et pataras sont fixés à la tête de mât.

M43

Gréement fractionné :
l'étai est fixé sous la tête de mât. On parle de gréement « 7/8ᵉ » ou « 9/10ᵉ ».

41

Positionnement du creux avec la drisse

La position du creux sur le génois est tout d'abord déterminée par la tension de la drisse (qui est plus ou moins la tension au bord d'attaque). Reprendre de la drisse avance le creux, en relâcher le recule (fig. 42).

▶ *Drisse reprise : position du creux avancée.*
▶ *Drisse relâchée : position du creux reculée.*

La tension de drisse affecte également le profil du génois au niveau du bord d'attaque (comme la tension d'étai). Un profil arrondi rend le génois moins sensible aux corrections de barre. Cela est appréciable dans les conditions suivantes : vent changeant, mer clapoteuse, ou barreur inexpérimenté.

Une drisse plus lâche donne un profil d'entrée plus fin. Ce réglage augmente la capacité de remontée au vent dans des conditions de mer et de vent optimum (mer calme et vent moyen).

Remarque : les voiles en Mylar et en Kevlar s'allongent moins que le Dacron, elles sont en tissu bloqué. Cela implique un contrôle du creux plutôt par le réglage de la tension de l'étai.

Drisse plus tendue :
▶ *Profil au bord d'attaque arrondi.*
▶ *Moins de cap, mais conduite plus facile.*
Drisse plus relâchée :
▶ *Profil au bord d'attaque fin.*
▶ *Meilleur cap, mais conduite plus délicate.*

L'interaction entre l'étai et la drisse peut être difficile à saisir. Il faut garder en tête que la tension d'étai affecte tout d'abord le creux et le profil au niveau du bord d'attaque, alors que la tension de drisse contrôle davantage la position du creux (fig. 43 et 44).

Mer calme :

Vent	Profil du génois	Étai	Guindant
Léger	creux, entrée plutôt fine	40-60 %	relâché*
Moyen	aplati	max.	60-80 %
Fort	aplati	max.	max.

* Tension suffisante pour faire disparaître les plis horizontaux.

Clapot :

Vent	Profil du génois	Étai	Guindant
Léger	creux, entrée arrondie	25 %	relâché**
Moyen	creux moyen	60 %	60-80 %
Fort	aplati	80 %	max.

** Tension relâchée à la limite d'apparition de plis horizontaux.

L'effet de la tension de la drisse

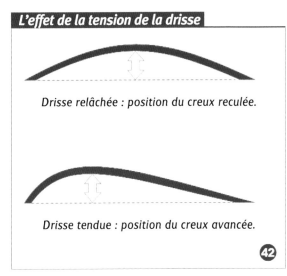

Drisse relâchée : position du creux reculée.

Drisse tendue : position du creux avancée.

42

Le relâchement de l'étai et de la drisse

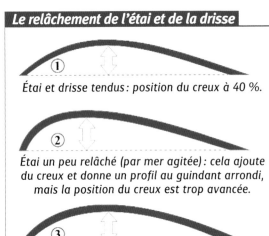

① Étai et drisse tendus : position du creux à 40 %.

② Étai un peu relâché (par mer agitée) : cela ajoute du creux et donne un profil au guindant arrondi, mais la position du creux est trop avancée.

③ Drisse un peu relâchée : la position du creux revient à celle souhaitée (40 %).

43

La reprise de l'étai et de la drisse

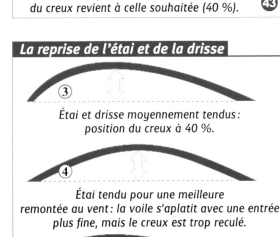

③ Étai et drisse moyennement tendus : position du creux à 40 %.

④ Étai tendu pour une meilleure remontée au vent : la voile s'aplatit avec une entrée plus fine, mais le creux est trop reculé.

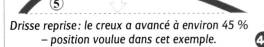

⑤ Drisse reprise : le creux a avancé à environ 45 % – position voulue dans cet exemple.

44

Astuces

‣ **S'il est délicat de barrer** en raison du flottement alternatif et incessant des penons au vent et sous le vent, c'est que le génois est trop fin au niveau du bord d'attaque. Dans ce cas, il faut détendre un peu l'étai pour creuser les profils, ou reprendre de la drisse pour avancer le creux.

‣ **Utilisez les barres de flèche** (fig. 31) pour juger du bon réglage du génois n'est pas toujours possible. Cependant, d'autres parties du gréement dormant peuvent servir.

‣ **La drisse doit être reprise** jusqu'à ce que les plis horizontaux disparaissent (fig. 79 et 80). Gardez en tête qu'une tension de drisse excessive détériore les voiles en composite.

‣ **Évitez de reprendre de la drisse** lorsque les voiles sont bordées. Choquez tout d'abord l'écoute.

‣ **Par vent fort,** il est souvent difficile de contrôler le cintrage de l'étai sur des voiliers à gréement fractionné équipés de bastaques (page 70). Vous ne pouvez agir sur le pataras sans cintrer la partie haute du mât. Sur une remontée au vent, une écoute de GV bordée permet de conserver un étai tendu. Dans les risées, il donc préfèrable de relâcher le chariot d'écoute plutôt que l'écoute.

‣ **Lorsque le génois est réglé avec le bon vrillage,** l'ensemble du bord d'attaque prendra à contre au même moment lors du virement. Les penons au vent doivent également décrocher au même moment (p 15).

Mais il s'avère souvent que la vitesse du bateau est plus importante lorsque c'est le penon de tête au vent qui décroche en premier, suggérant un vrillage plus important que celui décrit.

‣ **L'angle d'écoute est mesuré** entre l'axe du voilier et la ligne fictive point d'amure/point d'écoute. Cet angle doit s'ouvrir lorsque le voilier abat ou que le vent adonne. (page 7).

Un angle fermé requiert un étai tendu et un point de tire situé vers l'intérieur du bateau. Les gréements de course peuvent aller jusqu'à un angle de 7°, alors qu'il est de 20° sur les voiliers de croisière. Par ailleurs, la présence des haubans restreint les possibilités de réglage.

Un angle fermé engendre une meilleure capacité de remontée. Adoptez-le par mer calme et vent moyen. Par vent fort et mer agitée, il préfèrable d'ouvrir l'angle. Cela réduit la capacité de remontée, mais facilite la conduite.

L'angle peut être ajusté à son minimum par l'utilisation d'un barber-hauler horizontal (fig. 69).

Bon à savoir

Les règles décrites ne doivent pas nécessairement être prises à la lettre. L'art du réglage d'un voilier ne peut être défini entièrement par des règles immuables.

Par exemple, la remarque du sixième paragraphe ci-contre, suggérant que la vitesse du voilier peut être augmentée grâce à un « mauvais » réglage du vrillage du génois.

Les réglages sont affaire de compromis : ils nécessitent des adaptations propres à chaque bateau. Ces adaptations affectent souvent de manière différente des voiliers en apparence similaires, et peuvent rarement être appliquées à des voiliers différents.

Par conséquent il est bon de connaître les règles communes et, à partir de là, d'explorer les adaptations capables d'optimiser les performances de votre voilier.

Cela est particulièrement facilité si vous naviguez de conserve avec un autre bateau qui sert de référence.

L'angle d'écoute

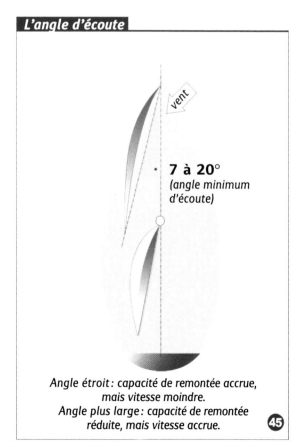

vent

7 à 20°
(angle minimum d'écoute)

Angle étroit : capacité de remontée accrue, mais vitesse moindre.
Angle plus large : capacité de remontée réduite, mais vitesse accrue.

45

Stabilité

C'est le moment de s'intéresser à la stabilité, à l'équilibre du voilier. Ces paramètres ont une influence sur le choix et le réglage des voiles.

Le génois est réglé pour l'apport de puissance ; la grand-voile pour établir un équilibre correct à la barre.

C'est particulièrement vrai pour les gréements en tête, où la surface du génois est plus importante que celle de la grand-voile. Ceci se vérifie sur les gréements fractionnés en raison de l'effet adonnant engendré par la voile d'avant.
Étudions la figure 46 :

Centre d'effort
Il faut imaginer la somme de toutes les forces véliques (forces aérodynamiques) s'appliquant en un point. Ce point au centre géométrique du plan de voilure est appelé centre d'effort (**CE**).

Centre de dérive (ou anti-dérive)
Sous la ligne de flottaison, la résistance latérale agit identiquement en un point appelé centre de dérive (**CD**). Il est situé au centre des parties immergées (coque, quille et safran).

Centre de carène
De même, la résistance longitudinale agit au centre de résistance hydrodynamique ou centre de carène (**CC**).

Stabilité latérale (fig. 47)
La force aérodynamique agit au **CE**. Sa composante latérale (**V**) fait gîter le bateau ; sa composante longitudinale le fait avancer.
La force **V** interagit avec une force d'égale amplitude mais opposée (**R**), qui s'applique au **CD**. Cette force est la force de résistance du safran, et principalement de la quille qui s'oppose à la dérive du bateau sous le vent.

Cette force permet au bateau de faire route au vent.

Les forces agissant au **CE** et au **CD** forment un couple qui fait gîter le bateau. Le poids et la poussée d'Archimède forment un couple de redressement s'opposant à la gîte.
Lorsque le bateau est stabilisé à un certain angle de gîte, les moments de ces deux couples sont égaux en amplitude mais opposés en direction.

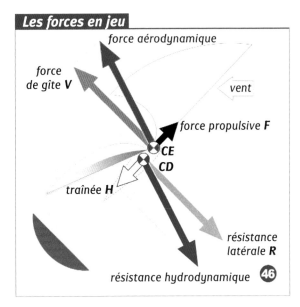

Les forces en jeu

force aérodynamique

force de gîte **V**

vent

force propulsive **F**

CE

CD

traînée **H**

résistance latérale **R**

résistance hydrodynamique **46**

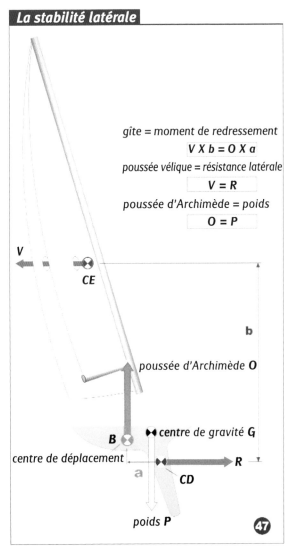

La stabilité latérale

gîte = moment de redressement
$$V \times b = O \times a$$
poussée vélique = résistance latérale
$$V = R$$
poussée d'Archimède = poids
$$O = P$$

V

CE

b

poussée d'Archimède **O**

centre de gravité **G**

B

centre de déplacement

a

R

CD

poids **P**

47

Équilibre du voilier

Intéressons-nous de plus près aux composantes latérales de la force aérodynamique et de la force hydrodynamique. Ces forces agissent respectivement au centre d'effort (**CE**) et au centre de dérive (**CD**).

La position de centre d'effort par rapport
au centre de résistance latérale
a une action directe sur la marche du voilier.

Il faut imaginer le voilier pivotant sur un axe vertical passant par le **CD.** Si la voile d'avant est envoyée seule, le voilier va abattre en pivotant autour du **CD.** Si la grand-voile est envoyée seule, le voilier va lofer en pivotant dans le sens inverse. Le barreur corrige en conséquence pour conserver la même trajectoire.
Trois situations se présentent alors.

A – voilier mou : si le **CE** est en avant du **CD,** l'étrave se tourne naturellement sous le vent. Il faut lofer pour conserver sa route.

B – voilier équilibré : **CE** et **CD** sont alignés. Le voilier reste naturellement sur sa route, sans correction de barre.

C – voilier ardent : si le **CE** est en arrière du **CD**, le voilier remonte naturellement au vent. Il faut abattre pour conserver sa route.

Il est préférable d'avoir un bateau ardent. Néanmoins s'il est trop ardent, il faut donner des corrections de barre trop importantes ; le safran agit alors comme un frein réduisant la vitesse du bateau.
Un bateau légèrement ardent permet au barreur de mieux sentir le voilier et de remonter dans le vent. Cela garantit une certaine sécurité : au cas où la barre est lâchée, le voilier lofe, remonte tout seul au vent (il lofe) et s'arrête bout au vent.

3 à 5° d'angle de remontée sont un bon compromis.

Remarque : à l'arrêt, le **CE** est en avant du **CD** de 5 à 15 % de la longueur du voilier. Lorsque le voilier avance et prend de la gîte, il devient ardent (fig. 49 et 50).

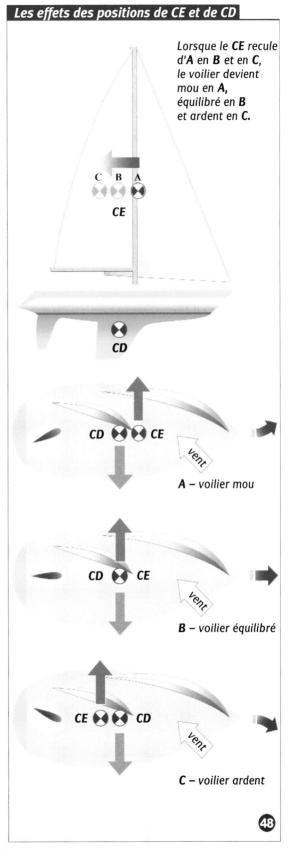

Les effets des positions de CE et de CD

Lorsque le **CE** recule d'**A** en **B** et en **C**, le voilier devient mou en **A**, équilibré en **B** et ardent en **C**.

A – voilier mou

B – voilier équilibré

C – voilier ardent

48

Voilier ardent à la gîte

Lorsque le voilier est à plat, les parties immergées sont symétriques (fig. 49) ; il reste sur sa route.

Lorsque le voilier gîte, les parties immergées deviennent asymétriques (fig. 49). Il a tendance à tourner car la résistance de l'eau est plus importante sur un des côtés de l'étrave ; testez ce phénomène avec une annexe. La gîte rend donc le voilier ardent.

La force propulsive (**F**) le fait avancer. Lorsque la vitesse du voilier est constante, elle est égale en amplitude et opposée en direction à la traînée **H** (ou résistance hydrodynamique). Cette résistance est la résultante des frottements de la coque dans l'eau et de la résistance de la vague. Elle agit au centre de carène (**CC**).

Lorsque le bateau gîte, le centre d'effort (**CE**) se déplace sous le vent. Le **CC** se déplace également mais moins (fig. 50). **CE** et **CC** ne sont plus alignés, les forces **F** et **H** forment alors un couple qui tend à faire pivoter le bateau vers le vent.

> *Le caractère ardent du voilier augmente avec la gîte, en raison de l'asymétrie des parties immergées et du déplacement sous le vent du **CE**.*

Voyons les facteurs capables de réduire le caractère ardent du voilier.

Pour déplacer le CE vers l'avant

- *Avancer le mât vers l'avant.*
- *Réduire le cintrage du mât.*
- *Réduire la surface de la grand-voile.*

Pour déplacer le CD vers l'arrière

- *Déplacer du poids vers l'arrière.*

Pour réduire la gîte

- *Déplacer du poids au vent.*
- *Aplatir les voiles et choquer l'écoute de grand-voile.*
- *Ouvrir le haut de la grand-voile (vrillage)*

Pour accentuer le caractère ardent du voilier, appliquez le contraire des actions ci-dessus (mais en général, le problème est d'avoir un bateau trop ardent – tout particulièrement par vent frais).

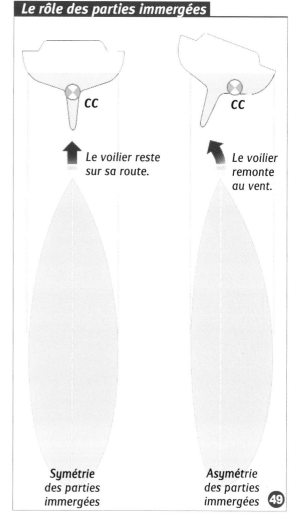

Le rôle des parties immergées

CC — CC

Le voilier reste sur sa route.

Le voilier remonte au vent.

Symétrie des parties immergées

Asymétrie des parties immergées **49**

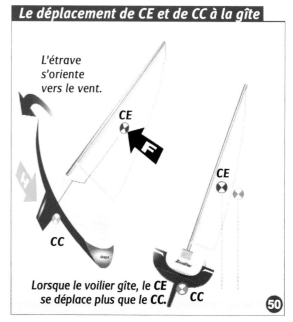

Le déplacement de CE et de CC à la gîte

L'étrave s'oriente vers le vent.

CE — F

CE

CC

CC

Lorsque le voilier gîte, le CE se déplace plus que le CC. CC **50**

Réglage de la grand-voile

La grand-voile est utilisée dans toutes les conditions de mer et de vent. Normalement, on ne change jamais de grand-voile, excepté dans des conditions extrêmes où une voile tempête (ou suédoise) est alors envoyée.

La grand-voile est réduite en fonction des conditions de vent et de mer. La plupart des plaisanciers pensent qu'il est plus facile de régler correctement la grand-voile que la voile d'avant, croyant que le réglage de la grand-voile tient au simple réglage de la tension d'écoute (fig. 52). C'est un peu plus subtil ! Un réglage optimal demande une attention constante et peu de plaisanciers en tiennent compte. Seuls, ceux qui recherchent la meilleure vitesse n'hésitent pas à travailler les réglages.

> Il y a quatre éléments majeurs à contrôler et à ajuster (développés dans les pages suivantes) :
> ◗ le vrillage grâce à l'écoute et au hale-bas,
> ◗ le creux par la bordure et le cintrage du mât,
> ◗ la position du creux par la tension de la drisse,
> ◗ l'équilibre à la barre par la position du chariot.

L'équilibre du voilier est fortement affecté par le réglage de la grand-voile (fig. 51). Il est important de régler correctement la grand-voile pour maintenir cet équilibre, en portant une attention particulière à la chute (bord de fuite).

En bordant, la chute se referme et augmente la gîte – rendant le voilier plus ardent.

En choquant, la chute s'ouvre et laisse échapper de la puissance. La traînée du safran est réduite par l'équilibre à la barre ainsi établi. Lorsque la chute est trop ouverte, la grand-voile perd de sa puissance, et le voilier de sa capacité de remontée au vent.

La position du chariot d'écoute affecte aussi la tension de chute et le vrillage de la grand-voile.

La chute peut être évaluée en observant la grand-voile à partir du point d'écoute (fig. 53):

> ◗ chute fermée : le voilier est plus ardent,
> ◗ chute ouverte : le voilier est plus équilibré.

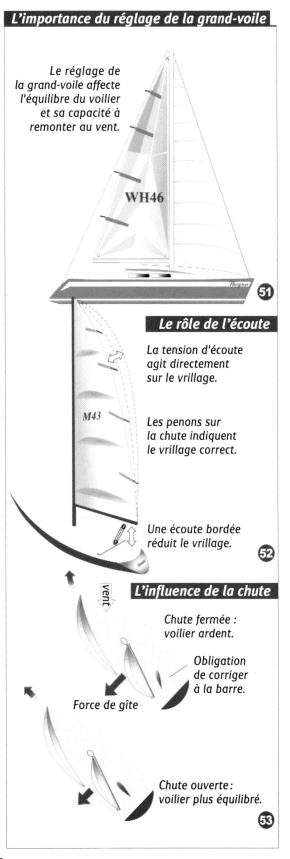

L'importance du réglage de la grand-voile

Le réglage de la grand-voile affecte l'équilibre du voilier et sa capacité à remonter au vent.

WH46

51

Le rôle de l'écoute

La tension d'écoute agit directement sur le vrillage.

M43

Les penons sur la chute indiquent le vrillage correct.

Une écoute bordée réduit le vrillage.

52

L'influence de la chute

Chute fermée : voilier ardent.

Obligation de corriger à la barre.

vent

Force de gîte

Chute ouverte : voilier plus équilibré.

53

1. Réglage du vrillage par l'écoute et le hale-bas

Excepté aux allures portantes, le vrillage correct s'obtient en ajustant l'écoute de grand-voile, puis en réglant le chariot sur la barre d'écoute. Ce n'est que par la suite que le hale-bas sera repris (page 27).

La chute est le meilleur témoin pour le réglage du vrillage. La règle commune est de border l'écoute jusqu'à ce que la dernière latte soit parallèle à la bôme (avec des lattes longues, il faut observer le dernier mètre).

Lorsque l'écoute est choquée, la partie haute de la grand-voile s'ouvre sous le vent (fig. 54). En bordant, le vrillage va diminuer jusqu'à ce que la chute supérieure se referme et que la dernière latte s'oriente au vent. Il y aura décrochement du flux sur la partie haute. Le penon sur la dernière latte va flotter et faire le tour de la chute pour se retrouver sous le vent (fig. 55). Si l'écoute est légèrement choquée, le penon se maintiendra à l'horizontale (fig. 56).

> *Le vrillage correct est trouvé lorsque :*
> ◗ *la dernière latte est parallèle à la bôme,*
> ◗ *et le dernier penon reste à l'horizontale la moitié du temps.*

Exceptions

Par vent moyen et mer plate, l'écoute peut être bordée jusqu'à ce que la dernière latte s'oriente légèrement au vent. La capacité de remontée au vent sera accrue. Cela est possible avec un gréement en tête où le guindant du génois arrive en haut du mât. Le flux suit alors naturellement le profil de la grand-voile sans décrocher dans les parties hautes.

Par vent faible et avec du clapot, il préférable de choquer l'écoute pour orienter la dernière latte sous le vent.

> *La dernière latte peut être orientée légèrement au vent :*
> ◗ *par vent moyen et mer plate*
> *(pour les gréements en tête).*
>
> *La dernière latte peut être orientée légèrement sous le vent :*
> ◗ *par vent faible (2 à 6 nœuds),*
> ◗ *dans le clapot,*
> ◗ *juste après un virement de bord.*

Lorsque le vrillage correct est établi, l'angle de la grand-voile par rapport à l'axe du bateau doit être réglé (page 27). Il faut garder en tête l'interdépendance de l'écoute et du chariot dans le réglage du vrillage, excepté au portant où c'est le hale-bas qui détermine le vrillage.

Bien observer le vrillage

Observez la voile depuis le bas de la bôme. **54**

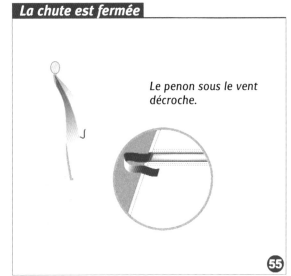

La chute est fermée

Le penon sous le vent décroche. **55**

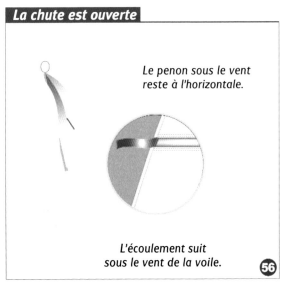

La chute est ouverte

Le penon sous le vent reste à l'horizontale.

L'écoulement suit sous le vent de la voile. **56**

2. Réglage du creux par la bordure et le cintrage du mât

Cintrer le mât a pour effet d'aplatir la voile dans ses parties haute et médiane (fig. 57). Ceci est particulièrement utile en eau plate et par vent fort, pour remonter au vent lorsque l'on a pas besoin de trop de puissance pour passer les vagues (conditions souvent rencontrées sur les plans d'eau abrités ou par mistral).

Le cintrage du mât dépend du type de gréement. Sur les gréements fractionnés, le mât pourra être bien plus cintré que sur un gréement en tête.

Retendre le bas-étai augmente le cintrage du mât. De même, pour obtenir plus de cintrage avec deux bas-haubans, il faut détendre celui placé à l'arrière, avant de retendre celui placé à l'avant.

Avec le cintrage, le guindant s'éloigne de la chute. La voile s'aplatit et le creux recule (fig. 57). La drisse (fig. 58), ou le cunningham (fig. 62), doit être repris pour repositionner le creux vers l'avant.

Lorsque la voile est aplatie et que le creux a retrouvé sa position, la chute s'ouvre. L'écoute doit alors être légèrement reprise pour conserver le vrillage correct.

> *La partie médiane et haute de la grand-voile est aplatie :*
> ▶ *par vent fort et mer relativement calme*
> ▶ *lorsque la remontée au vent est privilégiée par rapport à la puissance,*
> ▶ *lorsque le voilier est trop ardent et que l'on ne veut pas réduire la surface.*

La bordure permet de contrôler le creux dans la partie basse (fig.59). Lorsqu'elle est tendue, celle-ci s'aplatit. Par vent fort et eau plate, la bordure doit être tendue. Lorsque, par mer agitée, vous avez besoin de plus de puissance, il faut relâcher un peu la bordure pour creuser la voile dans sa partie basse.

> ▶ *vent faible : bordure relâchée.*
> ▶ *vent moyen : reprendre la bordure.*
> ▶ *vent fort : tendre au maximum la bordure.*
> ▶ *vent plus fort que la mer : tendre la bordure.*
> ▶ *mer plus forte que le vent : relâcher un peu la bordure.*

Par vent très faible, il peut être utile d'aplatir la voile et d'avoir un vrillage important. La raison de ce réglage est que, dans ces conditions, l'écoulement sous le vent ne peut suivre un profil trop creusé. Cela vient en contradiction avec la page 36 (fig. 90). Un profil trop plat peut ne pas générer assez de puissance pour notamment un voilier lourd.

Les effets du cintrage

Le cintrage aplatit les parties hautes.

Le creux diminue et recule lorsque le mât est cintré.

57

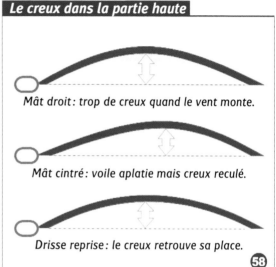

Le creux dans la partie haute

Mât droit : trop de creux quand le vent monte.

Mât cintré : voile aplatie mais creux reculé.

Drisse reprise : le creux retrouve sa place.

58

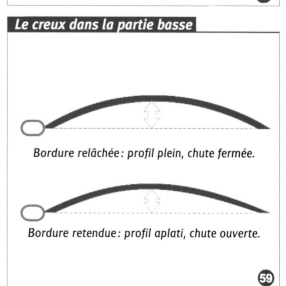

Le creux dans la partie basse

Bordure relâchée : profil plein, chute fermée.

Bordure retendue : profil aplati, chute ouverte.

59

Le ris de fond consiste en un œillet dans la chute de la voile, situé à 25-50 cm de la bordure, et par lequel passe une bosse (fig. 60). Il permet de tirer la chute vers le bas de la voile. Ce système a longtemps été utilisé pour aplatir la partie basse de la voile. Sur les voiles modernes, la coupe autorise un contrôle du creux par la tension appliquée sur la bordure.

3. Réglage de la position du creux par la drisse et le cunningham

Lorsque le creux est défini, il faut ajuster sa position (fig. 61). Dans la plupart des conditions, la position recommandée est à **45-50 %** du guindant. Ce réglage s'effectue par la tension de la drisse.

Plus la drisse ou le cunningham est repris, plus le creux reste bloqué sur l'avant. Sur une voile usagée, il faut étarquer un peu plus car l'usure a déplacé le creux sur l'arrière.

Par petit temps, la drisse peut être relâchée jusqu'à obtenir une position du creux à **55-65 %**. Il ne faut pas prêter attention aux légers plis qui se forment au voisinage du guindant.

Lorsque le vent monte, le creux recule. Il faut alors reprendre de la drisse pour le repositionner.

> ❯ *La position normale du creux est à 45 – 50 %.*
> ❯ *Par vent faible, le creux peut être déplacé jusqu'à 55-65 %, particulièrement au portant.*

Le cunningham est une bosse qui passe dans un œillet situé juste au-dessus du point d'amure (fig. 62). Il permet d'étarquer la voile vers le bas.

Ceci est plus efficace que de reprendre de la drisse. Par ailleurs, en reprenant de la drisse, la chute a tendance à se fermer dans les hauts.

Pour résumer, l'utilisation du cunningham permet d'éviter au creux de reculer, tout en aplatissant la voile dans sa partie avant.

> ❯ *Le cunningham permet de déplacer plus facilement le creux.*
> ❯ *En prenant du cunningham, la chute s'ouvre plus facilement qu'en prenant de la drisse.*

Le ris de fond

Le ris de fond tire la chute vers le bas.

60

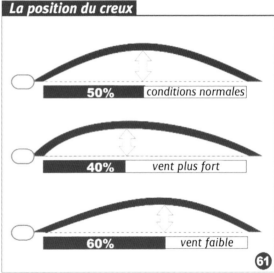

La position du creux

50% conditions normales

40% vent plus fort

60% vent faible

61

Le cunningham

Le creux ne recule pas quand le cunningham est pris.

62

4. Action du chariot d'écoute sur l'équilibre du voilier

La position du chariot sur le rail de barre d'écoute de grand-voile contrôle l'angle du profil avec l'axe du bateau (fig. 63). Cette action s'exerce conjointement avec la tension de l'écoute. La position du chariot modifie l'équilibre du voilier, le rendant mou, ardent ou équilibré.

La relation entre la barre d'écoute et la tension d'écoute est délicate à saisir. Imaginons un rail idéal, en arc de cercle, dont le centre serait situé au pied de mât. En premier lieu, la tension d'écoute serait établie pour régler le vrillage, ensuite la position du chariot serait ajustée. Avec ce type de rail, le vrillage ne sera pas modifié tant que la tension d'écoute ne change pas. Mais, dans la réalité, le rail est court et droit – et même, parfois, absent ! Le contrôle et le réglage de la voile consistent alors en une combinaison d'actions sur l'écoute, le chariot et, au portant, le hale-bas.

> *Principes de réglage du chariot :*
> ◗ *régler le vrillage avec la tension d'écoute, chariot au centre,*
> ◗ *au près et au bon plein, déplacer le chariot pour ajuster l'angle du profil par rapport au vent,*
> ◗ *au largue et au vent arrière, utiliser le hale-bas avant de relâcher de l'écoute et de déplacer le chariot sous le vent.*

Lorsque le vent monte, le chariot doit être déplacé sous le vent jusqu'à ce que la voile faseye légèrement au niveau du guindant.

Par vent faible, le chariot doit être déplacé au vent sans que la bôme ne dépasse l'axe du bateau.

Gardez un œil sur les penons, particulièrement celui de tête. Ils doivent rester horizontaux, sans passer derrière la voile en contournant la chute.

> ◗ *Chariot au vent par vent faible.*
> ◗ *Chariot sous le vent quand le vent monte, jusqu'à la limite du faseyement de la grand-voile.*

Lorsque le bateau est ardent, le chariot est déplacé sous le vent. Garder le cap est alors plus facile sans avoir à corriger en permanence à la barre.

Souvenez-vous que si vous naviguez avec un angle permanent de correction de plus de 5° sur le safran, vous freinez considérablement le voilier. Déplacez alors le chariot le plus possible sous le vent, jusqu'à la limite du faseyement de la grand-voile.

La grand-voile peut prendre à contre quelques instants s'il n'est pas possible de réduire la surface (la voile est en ralingue). Néanmoins, il faut éviter de la faire battre dans le vent, cela l'use considérablement.

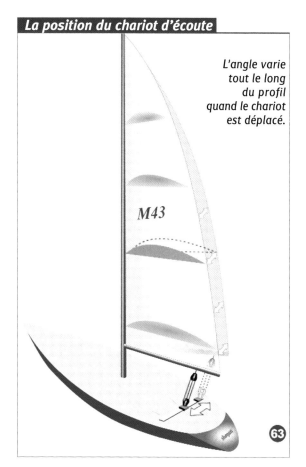

La position du chariot d'écoute

L'angle varie tout le long du profil quand le chariot est déplacé.

M43

(63)

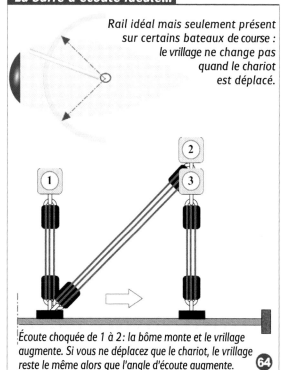

La barre d'écoute idéale...

Rail idéal mais seulement présent sur certains bateaux de course : le vrillage ne change pas quand le chariot est déplacé.

Écoute choquée de 1 à 2: la bôme monte et le vrillage augmente. Si vous ne déplacez que le chariot, le vrillage reste le même alors que l'angle d'écoute augmente. (64)

Interaction entre le génois et la grand-voile

Comme indiqué page 13 (fig. 28), la voile d'avant affecte l'écoulement d'air sur la grand-voile (effet adonnant).

La grand-voile et le génois peuvent être vus comme un seul profil (fig. 65).

La surface de recouvrement entre les deux voiles s'appelle le couloir. La largeur du couloir dépend du réglage des voiles.

Par vent faible et moyen, la grand-voile doit être réglée afin que, lors d'une remontée au vent, le guindant de la grand-voile commence à faseyer de bas en haut au même moment que celui du génois (tous les penons doivent décrocher au même instant).

Par vent plus fort, on peut laisser la grand-voile prendre un peu à contre près du mât, ceci pour éviter un bateau trop ardent. Si la grand-voile prend trop largement à contre, c'est que le couloir est trop étroit (fig. 66). Pour éviter de réduire, il faut :

- *choquer le génois,*
- *augmenter le vrillage,*
- *et aplatir la grand-voile.*

Remarque : lorsque la grand-voile prend à contre, cela peut aussi être dû à une chute de génois qui, trop proche, renvoie dans la grand-voile (fig. 66). Dans ce cas, il faut avancer la position du creux du génois (reprendre de la drisse) et/ou border l'écoute.

Si le couloir est trop large, la grand-voile perd le bénéfice de l'interaction avec le génois. Il faut alors appliquer les actions suivantes.

- *choquer l'écoute de grand-voile,*
  pour plus de puissance et de vitesse,
- *border l'écoute de génois,*
  pour mieux remonter au vent,
- *et creuser la grand-voile.*

Tout cela vient en complément de ce qui a été indiqué précédemment et complique un peu la donne !

Retenez surtout qu'une voile obtient un meilleur rendement :
- *à la limite du faseyement,*
- *débordée le plus possible,*
- *et avec la largueur du couloir à la limite de la prise à contre de la grand-voile.*

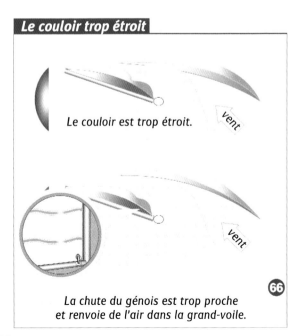

Le couloir idéal entre génois et grand-voile

Les deux voiles doivent s'accorder et la chute du génois doit être aussi parallèle que possible à celle de la grand-voile.

65

Le couloir trop étroit

Le couloir est trop étroit.

vent

vent

66

La chute du génois est trop proche et renvoie de l'air dans la grand-voile.

Lorsque la chute faseye

Il arrive que la chute batte, en émettant un bruit bien reconnaissable. Si la voile possède un nerf de chute, il faut le reprendre jusqu'à ce que le battement cesse (fig. 67). Tendre la chute peut l'incurver au vent. Les performances peuvent en être affectées, mais le bruit cessera et l'usure sera moins prématurée.

Les génois légers ont souvent une tension de bordure en plus de la tension de chute.

> *La chute faseye :*
> *tendre le nerf de chute jusqu'à*
> *la disparition du battement.*

Le profil de la voile est analogue à une boîte de vitesses automobile (fig. 68 haut et bas).

Le premier rapport est utilisé quand vous avez besoin de puissance pour accélérer ou pour passer les vagues. Lorsque vous voulez privilégier l'apport de puissance par rapport à la capacité de remontée au vent, optez pour une voile creuse dotée d'un vrillage généreux, avec un profil rond. Ceci est utilisé par les régatiers en sortie de virement. C'est également bon par clapot et vent instable.

> *Premier rapport*
> ▸ *Voile pleine, vrillage important, profil d'entrée arrondi.*
> ▸ *Puissance maximale mais capacité de remontée*
> *au vent réduite.*

Le second rapport concerne le vent plus fort accompagné d'une mer modérément agitée. Vous souhaitez augmenter la vitesse du bateau et conserver une bonne capacité de remontée : les voiles devront être bordées et aplaties, en conservant un profil plus rond au niveau du guindant pour une bonne tolérance de cap.

> *Second rapport*
> ▸ *Voile aplatie, écoutes bordées, profil d'entrée arrondi.*
> ▸ *Puissance moyenne mais bonne capacité de remontée.*

Le troisième rapport est idéal par vent moyen et mer plate. Cela permet une capacité de remontée au vent maximale assortie d'une bonne vitesse. Les voiles sont bordées à plat, le profil du génois au niveau du guindant est plus fin (étai tendu) et le creux est ramené vers l'arrière sur le génois comme sur la grand-voile.

> *Troisième rapport*
> ▸ *Voile très plate, écoutes bordées, profil d'entrée fin,*
> *creux reculé.*
> ▸ *Capacité de remontée maximale mais moins*
> *de puissance.*

Ce rapport est également utilisé lorsque le vent monte et que vous ne voulez pas réduire : vous vrillez les voiles et vous choquez un peu les écoutes pour libérer de la puissance.

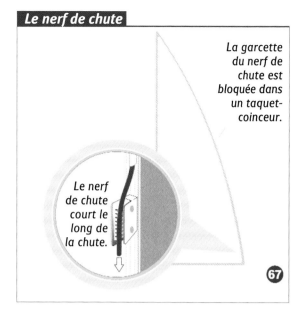

Le nerf de chute

La garcette du nerf de chute est bloquée dans un taquet-coinceur.

Le nerf de chute court le long de la chute.

67

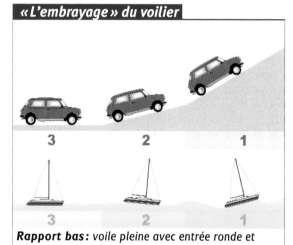

« L'embrayage » du voilier

3 2 1

3 2 1

Rapport bas : *voile pleine avec entrée ronde et creux avancé.*
Rapport long : *voile plate avec entrée fine et creux reculé.*

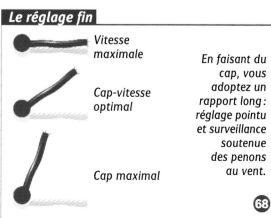

Le réglage fin

Vitesse maximale

Cap-vitesse optimal

Cap maximal

En faisant du cap, vous adoptez un rapport long : réglage pointu et surveillance soutenue des penons au vent.

68

29

Aux allures portantes

La plupart des principes énoncés auparavant sont aussi valables pour le portant. Il y est tout aussi important de maintenir un écoulement qui reste collé au plan de voilure. Néanmoins, certaines limites apparaissent lorsque le vent apparent a tendance à adonner.

1. Le génois

Lorsque le vent apparent se décale du près au travers (au-delà de 35° du vent apparent), il devient plus difficile de maintenir le génois entièrement gonflé. Le chariot d'écoute de génois serait idéalement placé à l'extérieur du bateau (fig. 69).

Le vrillage augmente de manière trop importante lorsque l'écoute est choquée pour s'adapter à la nouvelle direction du vent. Déplacer alors le chariot vers l'avant pour réduire le vrillage produit un profil trop creux dans les parties basses.

La solution est d'utiliser un barber-hauler pour déplacer le point de tire vers l'avant et vers l'extérieur du bateau (fig. 69).

Si vous n'utilisez pas de barber-hauler, il est impossible de stabiliser tous les penons au vent. Dans ce cas, il faut se concentrer sur un réglage correct du milieu de la voile et ignorer les parties basses et hautes. Gardez un œil sur les penons à mi-hauteur pour conserver autant de puissance que possible (fig. 70).

Lorsque le vent apparent se décale encore plus vers l'arrière, il devient impossible de conserver le génois gonflé, car il est déventé par la grand-voile. Il faut alors envoyer le génois sur le côté au vent (en ciseaux) avec un tangon (fig. 12 et 13).

Mais lorsque le vent apparent adonne au-delà du travers, il est temps d'envisager l'utilisation d'un gennaker ou d'un spinnaker.

> Lorsque le vent apparent se décale du près au travers :
> ▶ déplacer autant que possible le point de tire vers l'avant et vers l'extérieur du bateau,
> ▶ et régler correctement le milieu de la voile en ignorant les parties basses et hautes, ou utiliser un barber-hauler.
>
> Lorsque le vent apparent se décale au-delà du travers :
> ▶ utiliser un tangon et envoyer le génois au vent,
> ▶ ou envoyer un spinnaker ou un gennaker.

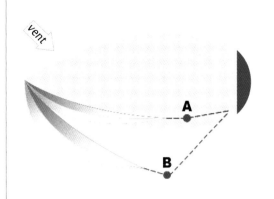

Le point de tire du génois

vent

A, au près : optimum à l'intérieur du bateau.
B, au portant : optimum à l'extérieur du bateau.

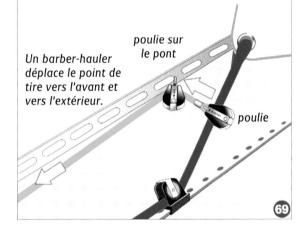

poulie sur le pont

Un barber-hauler déplace le point de tire vers l'avant et vers l'extérieur.

poulie

69

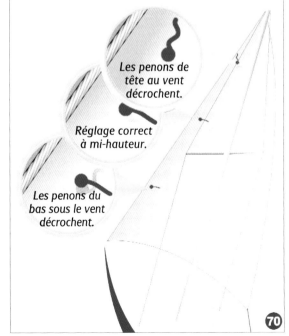

Le bon réglage est limité au milieu de voile

Les penons de tête au vent décrochent.

Réglage correct à mi-hauteur.

Les penons du bas sous le vent décrochent.

70

2. La grand-voile

Gardez toujours un œil sur les penons de tête lors d'une abattée. Autant que possible, il faut les conserver horizontaux.

L'écoute de grand-voile

Lors d'une abattée du travers jusqu'au vent arrière, le vrillage correct ne peut pas être maintenu par la seule utilisation de l'écoute de grand-voile. Ceci en raison de la diminution de la composante verticale agissant sur la bôme (fig. 64).

Au portant, l'écoute sert davantage à régler l'angle du plan de voilure par rapport à l'axe du bateau. Il faut choquer l'écoute jusqu'à ce que la voile commence à faseyer le long du mât, puis en reprendre un peu.

Beaucoup de régatiers posent des penons en milieu de voile à 60-90 cm du mât. Quand ceux au vent commencent à décrocher, il faut choquer un peu d'écoute jusqu'à ce qu'ils reviennent à l'horizontale – preuve d'un écoulement laminaire.

Lorsque le vent apparent passe du près au travers, les penons décrochent en permanence. La grand-voile est choquée autant que possible, mais avec un décrochement quasi permanent de l'écoulement.

Le hale-bas

Il faut reprendre du hale-bas avant de choquer la grand-voile. Vérifiez alors que les penons de tête restent horizontaux au moins 50 % du temps. Si ce n'est pas le cas, reprenez encore du hale-bas.

Dans les petits airs, il ne faut pas trop de tension de hale-bas, car le poids de la bôme peut parfois suffire. Lorsque le vent monte, il faut reprendre du hale-bas jusqu'à ce que la latte de tête soit parallèle à la bôme. Cette règle est un bon moyen de conserver tous les penons horizontaux.

Le creux

Relâchez de la bordure pour creuser la voile dans sa partie basse. Relâchez également le pataras pour redresser la partie haute du mât et ajouter du creux dans la partie haute de la voile.

> ▶ Régler le vrillage avec le hale-bas.
> ▶ Vérifier que le penon de tête reste à l'horizontale au moins 50 % du temps.
> ▶ Ajouter du creux en relâchant la bordure et en redressant le mât.

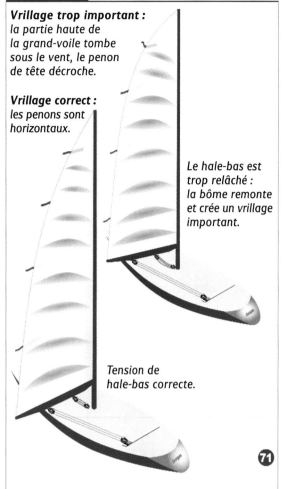

Vrillage trop important : la partie haute de la grand-voile tombe sous le vent, le penon de tête décroche.

Vrillage correct : les penons sont horizontaux.

Le hale-bas est trop relâché : la bôme remonte et crée un vrillage important.

Tension de hale-bas correcte.

71

C'est le penon de milieu de grand-voile sous le vent qui indique le décrochement. **72**

Marquage

Il est conseillé d'enregistrer ses réglages. Il sera alors plus facile de les reproduire au moment opportun. Peu de plaisanciers y pensent, alors que cela rend bien service.

1. Marquage de barre

L'équilibre de barre est le meilleur témoin d'un réglage correct des voiles. Si l'angle de safran nécessaire pour garder le cap est supérieur à 8°, il est évident qu'un autre réglage de voile ou de gréement doit être appliqué. Néanmoins, même une barre neutre n'est pas la garantie absolue d'un bon réglage. Il est important de pouvoir juger très précisément de l'équilibre de barre grâce à un marquage. Si vous éliminez le jeu de la barre avant cette opération, le marquage n'en sera que plus fiable.

S'il s'agit d'une barre franche, il est facile de repérer l'angle du safran, et les marques indiqueront les angles de barre (fig. 73).

Avec une barre à roue, les marques indiqueront l'angle du safran (fig. 73). Effectuer le marquage lorsque le bateau est au sec est plus aisé : une personne positionne le safran à des angles déterminés et une autre les repère sur la barre à roue. Si vous connaissez l'angle maximal du safran, vous pourrez alors effectuer le repérage même si le bateau est à flot. Comptez le nombre de tours pour déplacer le safran d'une extrémité à l'autre. Il ne reste qu'à calculer la course du safran en degrés pour un certain angle de barre à roue (fig. 73).

2. Marquage des drisses

En marquant les drisses à leur sortie de mât ou près des bloqueurs au niveau du piano, il devient facile de déterminer leur tension (fig. 74). Une marque permet de repérer jusqu'où la voile doit être hissée et vous donne la tension maximale de drisse/guindant.

Il est bien pratique de marquer également la drisse de grand-voile pour chaque prise de ris : la longueur de drisse adéquate pour affaler la grand-voile aux différentes prises de ris est ainsi immédiatement repérée.

3. Marquage de l'avale-tout

Enfin, comme les régatiers, n'hésitez pas à marquer les positions de l'avale-tout de génois, avec une graduation plus ou moins précise selon des réglages plus ou moins fins. (fig. 74).

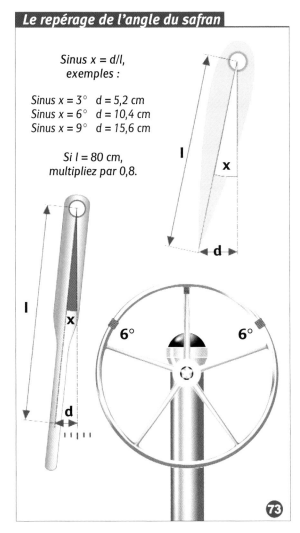

Le repérage de l'angle du safran

Sinus x = d/l, exemples :

Sinus x = 3°   d = 5,2 cm
Sinus x = 6°   d = 10,4 cm
Sinus x = 9°   d = 15,6 cm

Si l = 80 cm, multipliez par 0,8.

6°   6°

73

Le marquage de la drisse et de l'avale-tout

Marquez la drisse et notez une graduation ou une numérotation sur un adhésif collé sur le mât.

La position de l'avale-tout peut être indiquée par une graduation détaillée, ou simplement notée « génois, foc 1, foc 2... ». **74**

4. Marquage des écoutes

Il est possible d'effectuer un marquage sur les écoutes de génois, sauf si elles sont remplacées aux changements de voile. Il est aisé de marquer l'écoute de grand-voile, mais beaucoup jugent à bord que c'est inutile.

Dans le cas d'un génois à recouvrement, la tension d'écoute de génois peut être évaluée par le nombre de poings entre le plan de voilure et l'extrémité de la première barre de flèche. Dans le cas d'un génois sans recouvrement, l'évaluation peut s'effectuer grâce à un marquage sur la barre de flèche (fig. 75).

5. Marquage de la bordure

Un témoin de tension peut être indiqué sur la bôme (fig. 75). La plupart des plaisanciers marquent uniquement la tension de bordure maximale, mais un marquage plus détaillé est cependant intéressant.

6. Marquage de la tension de pataras

C'est une des marques témoins les plus importantes. Le pataras contrôle la tension d'étai sur les gréements en tête (pages 17 et 64). Le gréement fractionné est un peu plus complexe en raison des diverses possibilités de réglage.

Beaucoup de voiliers ont un gréement en tête avec des barres de flèche poussantes. C'est un gréement simple où les bastaques sont inutiles : l'étai est tendu en permanence par la tension du haubanage, et non par celle du pataras. Ce système est utilisé principalement pour cintrer le mât et aplatir la grand-voile, mais il fonctionne également, dans une moindre mesure, sur les gréements en tête (voir pages 69 et 70).

Un témoin de tension de pataras peut consister en une marque collée sur le filetage (fig. 76). Des tensiomètres fixés au câble sont également disponibles.

7. Marquage des voiles

Les marques d'identité des différentes voiles sont également importantes (utilisez de l'encre indélébile). Point d'écoute, point d'amure et point de drisse doivent aussi être reconnaissables au premier coup d'œil.

Marquez les réglages de votre voilier vous rend la vie plus facile, particulièrement par navigation de nuit, par conditions difficiles ou si vous changez d'équipage. Vous serez capable de reproduire rapidement les réglages adéquats dans des conditions de vent et de mer identiques, ce qui vous permettra de vous concentrer sur les réglages fins.

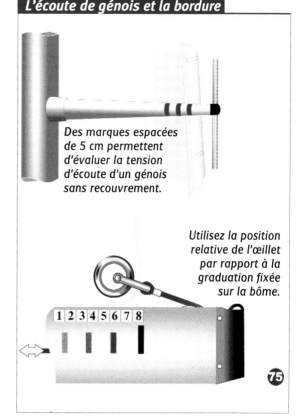

L'écoute de génois et la bordure

Des marques espacées de 5 cm permettent d'évaluer la tension d'écoute d'un génois sans recouvrement.

Utilisez la position relative de l'œillet par rapport à la graduation fixée sur la bôme.

1 2 3 4 5 6 7 8

75

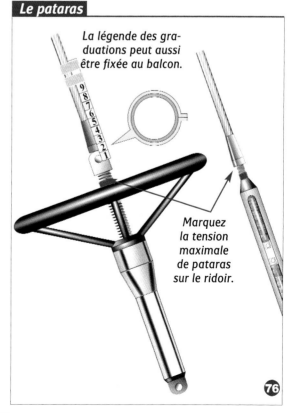

Le pataras

La légende des graduations peut aussi être fixée au balcon.

Marquez la tension maximale de pataras sur le ridoir.

76

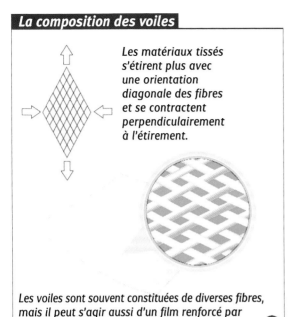

Les matériaux tissés s'étirent plus avec une orientation diagonale des fibres et se contractent perpendiculairement à l'étirement.

Les voiles sont souvent constituées de diverses fibres, mais il peut s'agir aussi d'un film renforcé par des fibres orientées dans les directions d'effort. **77**

Le Dacron est le matériau le plus employé pour la composition des voiles ; les films Mylar et les fibres Kevlar ou Pentex sont cependant de plus en plus courants. Notez bien que la voile s'étire différemment suivant l'orientation des fibres.

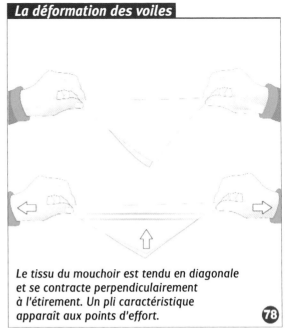

Le tissu du mouchoir est tendu en diagonale et se contracte perpendiculairement à l'étirement. Un pli caractéristique apparaît aux points d'effort. **78**

Plusieurs panneaux, où se répartissent les efforts, forment les voiles. Le tissu tendu se contracte perpendiculairement à l'étirement, c'est-à-dire le long du guindant quand on reprend la drisse. Le tissu, et donc le creux, s'avance. La forme des voiles modernes devient de plus en plus stable.

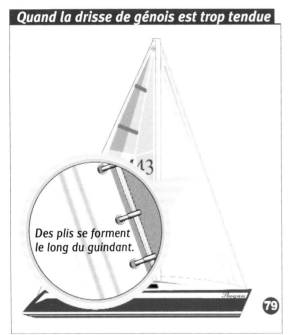

Des plis se forment le long du guindant.

79

Lorsque la drisse de génois est reprise, le creux s'avance. Cela donne également un profil d'entrée plus fin qui donne un voilier moins facile à barrer, mais qui remonte mieux au vent (fig. 42 et 44). Si la drisse est trop reprise, des plis se forment parallèlement au guindant.

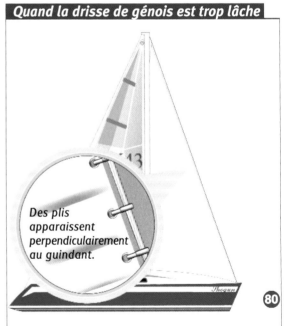

Des plis apparaissent perpendiculairement au guindant.

80

Détendre la drisse de génois donne un profil d'entrée plus arrondi, une moins bonne capacité de remontée au vent, mais le bateau devient plus facile à barrer. Si la drisse est trop relâchée, des plis apparaissent perpendiculairement au guindant. Cela n'est souhaitable que par vent très faible avec du clapot.

La drisse de grand-voile est trop tendue

Des plis apparaissent le long du guindant.

81

Reprenez de la drisse (ou du cunningham) pour avancer le creux. Cela aplatira la surface arrière de la voile, limitera la gîte et rendra le bateau moins ardent. Si vous reprenez trop de drisse, des plis apparaîtront le long du guindant.

La drisse de grand-voile est trop lâche

Des plis se forment perpendiculaires au guindant.

82

Par vent faible, la tension de drisse doit être réglée juste avant que des plis n'apparaissent à l'avant de la grand-voile. Dans les petits airs, relâchez la drisse (ou le cunningham) jusqu'à la formation de plis horizontaux. Si vous relâchez trop, les plis apparaissent franchement.

Le mât est trop cintré

Des plis se forment en diagonale de la bôme au guindant.

83

Le mât est cintré pour aplatir la partie haute de la voile par vent fort. Sur un gréement en tête, il est bien souvent difficile de cintrer le mât. Si le cintrage est trop important, des plis apparaissent alors depuis la bôme jusqu'au guindant.

Les plis de bordure

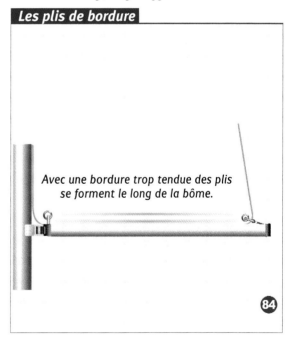

Avec une bordure trop tendue des plis se forment le long de la bôme.

84

Reprendre la tension de bordure a pour effet d'aplatir la partie basse de la grand-voile. Ce réglage est à réserver par vent fort pour réduire la gîte. Une bordure tendue génère plusieurs plis le long de la bôme. Ces plis, parfaitement normaux, n'affectent pas l'efficacité de la grand-voile.

Exemples de réglages au près

Remarque : les valeurs sont données à titre informatif et ne sont en aucun cas à retenir.

génois   grand-voile

Par vent faible, il s'agit de rechercher la force propulsive la plus forte pour augmenter la vitesse du bateau, et par là même le vent apparent. Dans ce cas précis, la capacité de remonter au vent n'est plus une priorité. Les voiles doivent être creuses avec des profils arrondis au guindant et un vrillage important pour éviter tout décrochement dans le haut. Choquez le génois pour l'éloigner d'une distance égale à environ deux mains de la barre de flèche. Le pataras et les bastaques sont relâchés pour augmenter la flexion de l'étai et par là même le creux ainsi que le profil d'entrée arrondi du génois. La drisse doit être reprise pour avancer la position du creux à environ 40 %. Choquez la bordure pour augmenter le creux dans la partie basse de la voile. Déplacez le chariot au vent jusqu'à ce que la bôme soit au centre. Déplacez les poids (équipage sous le vent) pour créer de la gîte. La résistance hydrodynamique diminue avec la légère gîte du voilier. **Laissez un peu de temps à votre voilier pour gagner en vitesse. Chaque changement qui ne serait pas nécessaire augmente les probabilités de décrochement du profil.**

89

Au près, par vent très faible

Laissez le bateau trouver son rythme sans donner des coups de barre incessants.

2-6 nœuds
eau plate

18-19 %
40 %

Étai	Molli. La courbure augmente le creux de la voile.
Drisse	Lâche (petits plis). Position du creux à 40 %.
Écoute	Plutôt lâche. Profil à deux mains de la barre de flèche.

16-17 %
55-65 %

Pataras	Entièrement détendu pour plus de creux dans les hauts.
Drisse	Lâche (petits plis). Position du creux à 55 - 65 %.
Bordure	Mollie.
Chariot	Au vent. Bôme au centre.
Écoute	Modérément choquée (pour plus de vrillage).

90

Au près, par vent faible et eau plate

Des voiles creuses avec des entrées fines donnent une bonne capacité de remontée et de la vitesse sur eau plate.

6-8 nœuds
eau plate

16-17 %
45 %

Étai	Tendu à 40-50 % pour un génois creux et une entrée fine.
Drisse	Relativement tendue pour un creux à 45 %.
Écoute	Assez tendue pour que la voile effleure la barre de flèche.

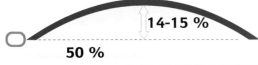
14-15 %
50 %

Pataras	Tendu à 40-50 % pour plus de creux en partie haute.
Drisse	Tendue jusqu'à obtenir une position de creux à 50 %.
Bordure	Tendue à 50 % : creux moyen en partie basse.
Chariot	Légèrement au vent si nécessaire pour rendre le voilier ardent.
Écoute	Bordée jusqu'à ce que le penon de tête passe derrière la voile.

91

Au près, par vent faible et clapot

Le clapot demande plus de force propulsive pour une conduite à la barre plus aisée – ce qui signifie des voiles un plus creuses, des entrées plus arrondies que sur une eau plate.

6-8 nœuds
clapot

17-18 %
40 %

Étai	Tendu à 30-40 % pour plus de creux et une entrée arrondie.
Drisse	Reprendre jusqu'à obtenir une position du creux à 40 %.
Écoute	Plutôt lâche. Profil à une main de la barre de flèche.

15-16 %
45 %

Pataras	Tendu à 40-50 % pour aplatir un peu la partie haute.
Drisse	Reprise jusqu'à obtenir une position du creux à 45 %.
Bordure	Tendue à 40 %. Plus de creux dans la partie basse de la GV.
Chariot	Déplacer le chariot un peu sous le vent.
Écoute	Choquée jusqu'à ce que les penons soient horizontaux.

92

Au près, par vent établi et eau plate

Des voiles relativement plates avec des profils fins au guindant garantissent une bonne capacité de remontée au vent et de la vitesse sur eau plate.

12-20 nœuds
eau plate

15-16 %

40 %

Étai	Tendu à 90 % pour un génois plat et des entrées fines.
Drisse	Tendue – pour une position du creux à 45 %.
Écoute	Assez tendue pour que la voile effleure la barre de flèche.

11-12 %

50 %

Pataras	Tendu à 90 % pour aplatir la voile dans sa partie haute.
Drisse	Tendue jusqu'à une position de creux à 50 %.
Bordure	Tendue à 80-90 % pour aplatir la voile dans sa partie basse.
Chariot	Au centre (ou légèrement sous le vent si le voilier est trop ardent).
Écoute	Bordée jusqu'à ce que les penons soient horizontaux.

93

Au près, par vent établi et clapot

Une mer agitée demande plus de puissance et une tolérance accrue à la barre – cela implique des voiles plus creusées avec des entrées plus arrondies que sur une eau plate.

12-20 nœuds
clapot

16-17 %

40 %

Étai	Relâché à 70-80 % : plus de creux et une entrée arrondie.
Drisse	Relativement tendue : position du creux à 40 %.
Écoute	Profil à 1 ou 2 mains de la barre de flèche : plus de creux.

12-13 %

45 %

Pataras	Relâché à 70-80 % : plus de creux dans la partie haute.
Drisse	Retendre jusqu'à une position de creux à environ 45 %.
Bordure	Relâchée à 70-80 % pour augmenter le creux en partie basse.
Chariot	Déplacé sous le vent (bôme à 5-10 ° de l'axe du bateau).
Écoute	Bordée jusqu'à ce que les penons soient horizontaux.

94

Au près, par vent fort et mer agitée

Des voiles plates avec des entrées fines garantissent une force propulsive suffisante sans trop de gîte.

> 20 nœuds
mer agitée

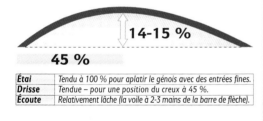

14-15 %

45 %

Étai	Tendu à 100 % pour aplatir le génois avec des entrées fines.
Drisse	Tendue – pour une position du creux à 45 %.
Écoute	Relativement lâche (la voile à 2-3 mains de la barre de flèche).

10-11 %

45 %

Pataras	Tendu à 100 % pour aplatir au maximum la partie haute de la GV.
Drisse	Tendue – pour une position du creux à 45 %.
Bordure	Tendue à 100 % pour aplatir le bas de la grand-voile.
Chariot	Sous le vent jusqu'à ce que le vent prenne à contre.
Écoute	Ajustée jusqu'à ce que les penons soient horizontaux.

95

Au près, par vent fort et mer agitée

> 20 nœuds
mer agitée

La mer devient souvent agitée à partir de 20 nœuds de vent. Avec un vent de force 6 (25 nœuds), vous rencontrerez souvent des problèmes d'**auloffée** si vous êtes à bord un voilier trop ardent. Dans ce cas, aplatissez les voiles et déplacez le chariot sous le vent. Si cela n'est pas suffisant, réduisez la toile en prenant des ris dans la grand-voile ou en changeant de génois pour retrouver un bon équilibre à la barre. Si le problème persiste ou que vous ne pouvez pas réduire la voilure, vous devrez alors barrer en conséquence pour **gérer la gîte** de votre bateau. Remontez tout d'abord au vent plus qu'à la normale. La gîte va s'en trouver réduite, les penons du génois flotteront un peu et la voile faseyera légèrement. Rien de grave dans ces conditions où vous avez un surplus de puissance. Lorsque vous jugez que le voilier est trop remonté et qu'il a perdu trop de vitesse, abattez pour accélérer et remontez ensuite à nouveau au vent pour réduire la gîte. Entraînez-vous à barrer avec un angle de gîte de 20-25 degrés. C'est une technique souvent employée par les régatiers lorsqu'ils ne veulent pas réduire leur voilure. Pour éviter de réduire, vous pouvez également déplacer le chariot au vent tout en choquant l'écoute de grand-voile. Le haut de la voile va alors se vriller davantage, réduisant l'excès de puissance et de gîte. La même chose peut être faite avec le génois en déplaçant l'avale-tout vers l'arrière ce qui augmentera également le vrillage.

Remarque : il est toujours préférable de réduire la toile si vous pensez que le vent va forcir. N'oubliez pas que, dans ces conditions, la vitesse du voilier sera meilleure avec une voilure plus réduite.

96

Si tous les réglages sont effectués et que l'angle de gîte excède 25 degrés, ou que l'angle de barre dépasse 8 degrés pour conserver le cap, il est temps de réduire la voilure.

Lors d'une prise de ris, pensez avant tout à l'équilibre. Une prise de ris s'effectue généralement après avoir réduit le génois. Néanmoins, sur les gréements en tête il est parfois plus efficace de réduire la grand-voile avant de passer à un génois plus petit. On conserve ainsi la puissance de la voile d'avant pour passer à travers les vagues.

La prise de ris décrite ci-dessous est celle que l'on pratique sur la plupart des voiliers. À noter que sur certains bateaux, la réduction de voilure se fait en enroulant la grand-voile sur la bôme, ce qui dégrade légèrement le profil de la voile. Les enrouleurs de grand-voile sur mât ou sur bôme réduisent la voilure tout en maintenant un profil à peu près correct.

WH46

1   Choquez le hale-bas (A) et l'écoute (B) et reprenez de la balancine (C) pour que la bôme ne tombe pas.
2   Choquez la drisse (D) jusqu'à ce que l'œillet de ris (E) prenne sur le crochet de ris (F).
3   Reprenez de la drisse. Celle-ci doit être suffisamment tendue en raison du vent qui forcit.
4   Reprenez la bosse de ris (G) jusqu'à ce que l'œillet de ris vienne sur la bôme. Assurez-vous que le hale-bas et l'écoute sont choqués pour éviter de déchirer la chute de la voile.
5   Relâchez la balancine pour éviter un vrillage trop important de la voile.
6   Reprenez du hale-bas et bordez l'écoute.
7   Carguez la voilure ainsi dégagée à l'aide des garcettes de ris (H).

Description	Causes possibles	Actions possibles

AU PRÈS

VOILIER TROP ARDENT

Un angle au safran de plus de 8° est nécessaire pour garder le cap. La barre est dure à tenir.	Voiles trop creuses. Chute de la grand-voile fermée. Grand-voile trop bordée. Voile d'avant trop petite par rapport à la grand-voile. Voilure trop importante (trop de gîte). Mât trop en arrière : trop de quête.	Aplatir la grand-voile (et le génois) en reprenant du pataras et de la bordure*. Augmenter le vrillage en choquant l'écoute de grand-voile. Déplacer le chariot sous le vent. Changer par un génois plus grand ou réduire la grand-voile. Réduire la quête ou bien déplacer le mât vers l'avant (page 63).

VOILIER TROP MOU

Le voilier ne cesse d'abattre et vous devez lofer en permanence pour conserver le cap.	Voiles trop plates. Chute de la grand-voile trop ouverte. Grand-voile trop choquée. Grand-voile trop petite par rapport à la voile d'avant. Mât trop avancé ou pas assez de quête.	Creuser les voiles en relâchant le pataras et la bordure*. Réduire le vrillage en relâchant le pataras et en bordant. Border ou déplacer le chariot au vent **. Renvoyer un génois plus petit ou relâcher les prises de ris de la grand-voile. Déplacer le mât vers l'arrière ou rajouter de la quête (page 63).

CAPACITÉ DE REMONTER AU VENT RÉDUITE

Vous n'arrivez pas à remonter au vent aussi bien que des voiliers similaires.	Étai trop lâche – profil d'entrée du génois trop arrondi. Génois trop choqué. Chute de la grand-voile trop ouverte. Grand-voile trop choquée. Grand-voile trop creusée. Manque de quête.	Reprendre du pataras (les bastaques sur gréement fractionné). Eau plate : relâcher la drisse de génois pour reculer le creux. Border l'écoute. Déplacer le point de tire vers l'intérieur***. Border l'écoute de GV (vent faible : retendre tension de chute). Border ou déplacer le chariot au vent**. Reprendre du pataras et de la bordure pour aplatir la voile. Augmenter la quête.

VITESSE RÉDUITE DU BATEAU

Votre remontée au vent est bonne mais vous n'avancez pas comparé à des bateaux similaires.	Génois trop plat avec un profil d'entrée trop fin. Grand-voile trop plate. Grand-voile trop bordée.	Relâcher de l'écoute et du pataras. Relâcher de la drisse pour creuser l'avant*. Relâcher du pataras et de la bordure pour augmenter le creux. Déplacer le chariot sous le vent jusqu'à faire faseyer légèrement l'avant de la grand-voile.

TRAVERS/PORTANT

VOILIER TROP ARDENT

Le voilier est trop ardent, impossible à barrer.	Grand-voile trop bordée. Vrillage de la grand-voile trop faible.	Le génois renvoie dans la grand-voile. Choquer (déplacer le point de tire vers l'extérieur avec un barber hauler). Choquer ou déplacer le chariot sous le vent***. Relâcher du hale-bas pour augmenter le vrillage.

VITESSE RÉDUITE DU BATEAU

Vous n'avancez pas comparé à des bateaux similaires.	Vrillage de la grand-voile pas adapté. Grand-voile trop plate.	Régler le hale-bas pour modifier le vrillage. Relâcher le pataras (ou les bastaques) et la bordure pour augmenter le creux.

LE GÉNOIS NE PEUT RESTER GONFLÉ

Le vent venant par l'arrière du travers empêche la bonne tenue du génois.	Point de tire du génois impossible à trouver Génois déventé par la grand-voile.	Utiliser un tangon pour un point de tire plus efficace. Envoyer le génois au vent.

* sur les gréements fractionnés sans barres de flèche poussantes ce sont les bastaques qui permettent d'ajuster la tension d'étai (creux et entrée du génois). ** pour maintenir un vrillage constant. *** avec un barber hauler.

En résumé

1. Par quel réglage commencer ?

Commencez par border la grand-voile en fonction de la direction du vent apparent en appliquant le principe suivant : en remontant au vent, la grand-voile doit être davantage bordée qu'aux allures portantes. Faites la même chose avec le génois. Vérifiez et **ajustez le vrillage** de la voile et l'écoute en utilisant les penons (pages 15 et 16). **Ajustez ensuite le creux et sa position** comme indiqué précédemment (pages 17 et 18). Revenez ensuite à un réglage fin de la tension d'écoute de la grand-voile, de son creux, de sa position et du vrillage comme indiqué (pages 24 et 26). **Jugez de l'équilibre du voilier à la barre.** Si votre voilier est trop ardent, et c'est souvent le cas, réajustez les voiles pour trouver un bon équilibre (pages 21 et 27). Veillez à la chute de la grand-voile. Si votre voilier est toujours trop ardent, vérifiez que vous ne portez pas trop de toile. Si tel est le cas, changez la voile d'avant ou réduisez la grand-voile. Retournez aux réglages du génois. Recommencez le processus jusqu'à ce que les réglages optimums soient trouvés.

Un plaisancier s'attache à trouver des réglages corrects. Celui qui tire le meilleur parti de son jeu de voiles fera la différence.

Naviguer avec un voilier trop ardent est une erreur courante. Le bateau est alors difficile à barrer, en particulier si le vent monte. Un voilier plutôt ardent est souhaitable avec un angle au safran idéal de 3 degrés.

L'objectif du réglage est d'accroître la force propulsive, de réduire la gîte et en même temps d'équilibrer toutes les forces agissant sur le gréement et la coque (particulièrement la partie immergée).

Le génois sert à donner le maximum de force propulsive. La grand-voile doit être ajustée et adaptée de manière à ce que l'ensemble formé soit équilibré et harmonieux. La voile d'avant et la grand-voile peuvent être envisagées comme un seul plan de voilure partant du guindant du génois et se terminant avec la chute de la grand-voile.

Pour résumer, on peut dire que l'**on règle le profil d'entrée du génois et la chute de la grand-voile**.

2. Régler le génois

Portez une attention toute particulière au guindant. Utilisez les penons si le génois en est muni.

▶ *Écoute correctement bordée.*
▶ *Position de l'avale-tout correcte.*
▶ *Vrillage correct.*

Le creux de la voile et sa position sont d'abord ajustés par la tension de drisse et dans une moindre mesure par la tension d'écoute.

3. Régler la grand-voile

▶ *Choquez l'écoute jusqu'à la limite de prise à contre de la voile au niveau du mât. Le couloir génois/grand-voile ne sera que plus efficace.*
▶ *Vérifiez et ajustez le vrillage avec l'écoute et le chariot jusqu'à ce que la latte de tête soit parallèle à la bôme.*
▶ *Vérifiez et ajustez le creux avec la bordure et le cintrage du mât.*
▶ *Vérifiez et ajustez la position du creux avec la drisse ou le cunningham.*

La chute est un élément sur lequel il faut s'attarder (contrairement au génois où c'est le profil au niveau du guindant qui prime).

Une chute fermée (chute tendue) entraîne :

▶ *Plus de gîte.*
▶ *Un voilier plus ardent.*
▶ *Un meilleur cap.*

Une chute ouverte (chute lâche) produit :

▶ *Moins de gîte.*
▶ *Un voilier moins ardent.*
▶ *Une vitesse accrue mais moins de cap.*

Si le voilier est trop ardent, il faut à la fois aplatir davantage la voile et avancer le creux ou augmenter le vrillage. Essayez de garder les penons de chute horizontaux au moins 50 % du temps. En l'absence de penons de chute, utilisez comme indicateur la latte de tête qui doit rester parallèle à la bôme.

Comme nous l'avons vu précédemment, un voilier légèrement ardent est souhaitable.

Mieux vaut naviguer avec trop de vrillage que pas assez. Ainsi, le chariot doit presque toujours être déplacé au vent par vent faible et moyen, même si la plupart des plaisanciers le préfèrent centré.

Lorsque le vent monte, le chariot doit être déplacé sous le vent. Exception faite par vent fort si vous ne voulez ou ne pouvez pas réduire la toile. Il est alors préférable de déplacer le chariot au vent et de choquer l'écoute. Le vrillage de la grand-voile sera plus important ce qui aura pour effet de réduire la gîte.

Conclusion. La diversité des variables pouvant affecter les performances implique certains compromis. Votre propre expérience vous mènera aux meilleurs réglages de votre voilier. Un marquage de ces différents réglages possibles et la mesure de leurs effets vous permettront de parvenir plus rapidement à établir l'équilibre et améliorer les performances de votre bateau.

2. Spinnaker et gennaker

Lorsque le vent apparent vient par l'arrière du travers, il devient difficile de conserver le génois gonflé, à moins d'utiliser un tangon pour l'envoyer au vent. Il ne sera alors plus déventé par la grand-voile.

Les voiles de portant comme le spinnaker ou le gennaker sont les voiles les plus efficaces, tout particulièrement dans le petit temps.

Le spinnaker est une voile pour laquelle il est difficile de donner des instructions de réglages absolues. Dans ce nouveau chapitre, nous tenterons donc d'introduire des règles pratiques de manière empirique.

Différents types de spinnaker

Les premiers spinnakers symétriques modernes sont les **cross-cut**. Ce type de spinnaker peut être utilisé pour le vent arrière mais il ne convient pas pour le petit largue ou le travers. En effet, la poussée vélique crée une contrainte diagonale sur la partie haute de la voile ce qui produit un allongement notable. Cela entraîne des déformations sur le profil de la voile lorsque le vent fraîchit.

Le spinnaker **radial** est constitué pour moitié de laizes verticales qui limitent l'allongement du tissu dans les vents plus forts. Ce type de spinnaker est un progrès important par rapport au **cross-cut**, mais ses performances au travers ne sont pas encore les meilleures.

Le spinnaker **triradial** est constitué, pour sa part, de laizes placées dans les trois principales directions d'efforts. Le profil de la voile est ainsi mieux maintenu. Ce type de spi est le plus adapté pour toutes les allures. Il est aujourd'hui à bord de la plupart des voiliers de croisière.

Les fabricants de voile utilisent depuis longtemps la CAO (conception assistée par ordinateur) pour dessiner les voiles. Le maître voilier est alors capable de créer des laizes avec le profil optimum et avec une résistance et un tissu adapté.

Les tissus

Les spinnakers (et gennakers) sont réalisés en Nylon fin afin de pouvoir être envoyés dans les petits airs. Le Nylon est employé en raison d'un ratio résistance/poids élevé et de sa capacité élastique à absorber les surventes.
À l'inverse, les génois et grand-voiles sont conçus dans des tissus les moins élastiques possible pour conserver leur profil en toutes circonstances.

Le Nylon vieillit rapidement lorsqu'il est exposé de façon prolongée aux UV. C'est la raison pour laquelle spinnaker et gennaker doivent être rangés dans leur sac à voile dès qu'ils ne sont plus utilisés. Veillez en outre à ranger vos voiles uniquement lorsqu'elles sont bien sèches. À noter enfin, qu'un nettoyage annuel à l'eau claire prolongera efficacement leur durée de vie.

Les variétés de coupes de spinnaker

Coupe cross cut.

Coupe radiale.

Coupe triradiale avec laizes radiales au centre.

Coupe triradiale.

❶

Vocabulaire

Écoute et bras

Le spinnaker est contrôlé alternativement par deux manœuvres « bras » et « écoute ». L'écoute est placée sous le vent et le bras, au vent.

Le bras passe en bout de tangon. Il est fixé au point d'amure et donc au vent.

L'écoute est fixée au point d'écoute et donc sous le vent. Au moment de l'empannage, l'écoute devient le bras et inversement.

Le tangon est fixé au spinnaker par l'intermédiaire du bras. Le tangon est équipé d'un **hale-bas** et d'une **balancine**. Ces deux commandes ont pour fonction de régler l'horizontalité du tangon. Le hale-bas supporte plus de contraintes que la balancine. En effet, le spi a une composante propulsive verticale ascendante importante.

L'écoute et le bras reviennent au cockpit à travers des poulies fixées sur l'arrière du pont et sur les winches qui sont, le plus souvent, ceux du génois.

Le jockey pole est un « mini-tangon » complémentaire. Il peut être utilisé sur les grosses unités pour offrir un meilleur angle de tire pour le bras et éviter que celui-ci n'écrase les haubans.

La retenue de bôme évite à celle-ci de passer brutalement d'un bord sur l'autre en cas d'empannage intempestif. C'est l'un des dangers les plus importants de la voile. La retenue est normalement fixée sur la bôme au même niveau que l'écoute de grand-voile. Elle passe au pied du mât pour avoir un bon angle de tire et un ensemble plus « élastique ». Elle est ensuite renvoyée vers le cockpit où elle est mise au taquet.

> *Il est essentiel de pouvoir relâcher rapidement une retenue. Cette dernière doit être plus particulièrement utilisée si vous naviguez proche du vent arrière avec un génois.*

Vous pouvez utiliser l'écoute de grand-voile en la fixant sur le rail de fargue (fig. 4). Néanmoins une vraie retenue reste le meilleur choix. Assurez-vous toujours de pouvoir la relâcher rapidement, de préférence depuis le cockpit.

Le barber-hauler est un bout muni d'une poulie dans laquelle passe le bras ou bien l'écoute. Il permet de régler l'angle de tire de l'écoute (voir page 30, fig. 69).

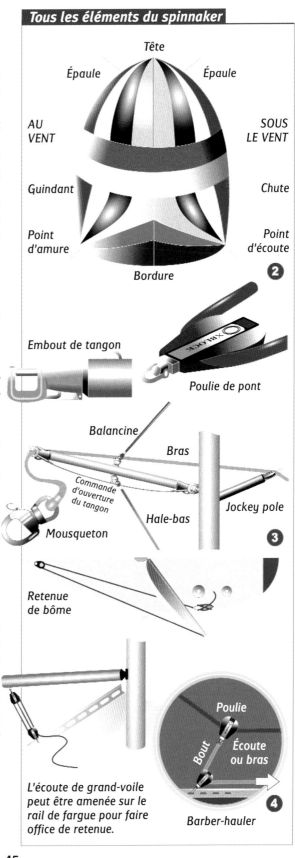

Tous les éléments du spinnaker

Tête

Épaule — Épaule

AU VENT — SOUS LE VENT

Guindant — Chute

Point d'amure — Point d'écoute

Bordure

2

Embout de tangon

Poulie de pont

Balancine — Bras

Commande d'ouverture du tangon

Hale-bas — Jockey pole

Mousqueton

3

Retenue de bôme

Poulie

Bout — Écoute ou bras

L'écoute de grand-voile peut être amenée sur le rail de fargue pour faire office de retenue.

Barber-hauler

4

Avant d'envoyer le spi

▶ *Fixez le sac à spi sur un chandelier (1).*
▶ *Passez l'écoute (2) à l'extérieur des filières à travers
la poulie située sur l'arrière du cockpit. Amenez-la jusqu'au winch.*
▶ *Passez l'écoute à l'extérieur des haubans (3) et de l'écoute de génois
et fixez-la au point d'écoute de spi (4).*
▶ *Le bras est préparé de la même manière avec, en plus, le passage
à travers l'extrémité du tangon (5) et en avant de l'étai pour aller
se fixer au point d'amure du spi (6).*
▶ *Fixez ensuite la drisse sur le spi (7).*
▶ *Vérifiez enfin que la drisse ne fait pas de tours avec l'étai.*

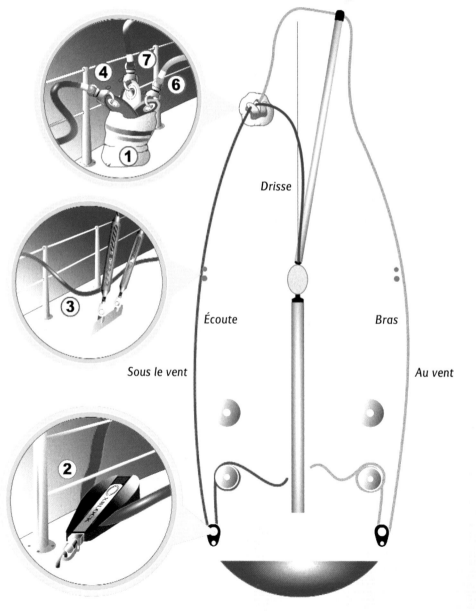

Drisse

Écoute

Bras

Sous le vent

Au vent

Envoi du spi

1. Au vent arrière

Il est plus sûr d'envoyer et d'affaler le spi sous le vent du génois. Si vous ne procédez pas de cette manière, n'oubliez pas d'amener le point d'amure au niveau du tangon juste avant d'envoyer le spi.

> *Hissez le tangon à la hauteur voulue et prenez du hale-bas.*
> *Bordez le bras jusqu'à ce que le tangon soit dans la position correcte avec le point d'amure proche de l'extrémité du tangon.*
> *Hissez le spi rapidement avec la drisse.*
> *Bordez l'écoute jusqu'à ce que le spi se gonfle.*
> *Affalez le génois.*

2. Au largue

> *Réglez le tangon à 15° de l'axe du bateau et un peu plus bas que pour le vent arrière.*
> *Reprenez du hale-bas. Procédez ensuite comme expliqué ci-dessus.*

3. D'une manière générale

> *Soyez méticuleux dans le pliage du spi. Prenez la tête et suivez les bordures (normalement rouge et verte) jusqu'aux points d'écoute. Rangez le spi dans le sac tout en maintenant la tête et les points d'écoute. Il est préférable d'être à deux pour effectuer cette manipulation. À bord des grosses unités, les spis sont pliés de façon particulière (ferlés).*
> *Attachez le sac à spi de manière sûre sur les filières.*
> *Vérifiez à deux reprises qu'écoute et bras sont correctement préparés.*
> *Réglez le tangon à la bonne hauteur et au bon angle.*
> *Brassez jusqu'à ce que le point d'amure du bras soit proche du tangon.*
> *Vérifiez que le hale-bas est bloqué afin que le tangon ne se relève pas lorsque le spi est envoyé.*
> *Effectuez toujours au moins deux tours autour du winch pour l'écoute, le bras et la drisse.*
> *Au vent arrière, excepté par vent faible ou fort, il mieux vaut ne pas hisser la drisse au maximum pour garder le spi éloigné de la grand-voile de quelques centimètres.*

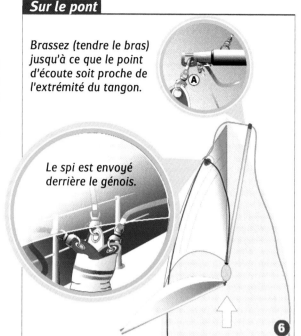

Sur le pont

Brassez (tendre le bras) jusqu'à ce que le point d'écoute soit proche de l'extrémité du tangon.

Le spi est envoyé derrière le génois.

6

En tête de mât

Le haut de la voile s'écarte du mât et de la grand-voile pour obtenir un flux d'air moins perturbé. Entre 20 à 75 centimètres de drisse selon la taille du bateau.

20 à 75 cm

7

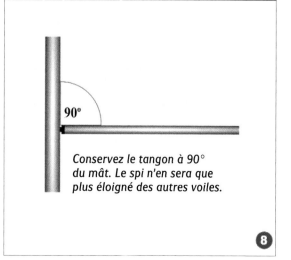

Le réglage du tangon

90°

Conservez le tangon à 90° du mât. Le spi n'en sera que plus éloigné des autres voiles.

8

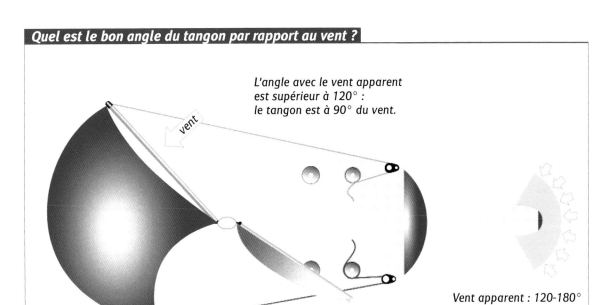

L'angle avec le vent apparent
est supérieur à 120° :
le tangon est à 90° du vent.

vent

Vent apparent : 120-180°

9

Lorsque le vent apparent se situe entre 120 et 180°, le tangon doit être placé à 90° du vent. Lorsque le vent apparent vient de l'avant (travers – petit largue), vous devez régler votre spi de manière à ouvrir la chute sous le vent et aplatir la voile (fig. 18). Enfin, brassez pour reculer le tangon de manière à ce que l'angle entre le tangon et le vent apparent soit inférieur à 90°.

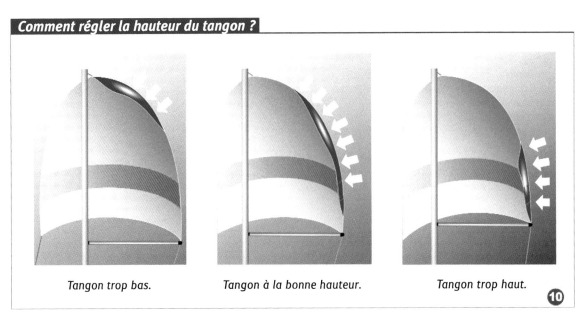

Tangon trop bas.

Tangon à la bonne hauteur.

Tangon trop haut.

10

Pour déterminer la hauteur correcte du tangon, il suffit d'observer l'attaque du spi. Un repli apparaît normalement le long du guindant.

Ajustez la hauteur pour observer ce repli **en même temps tout le long du guindant.** Si le repli apparaît d'abord en haut, il faut monter le tangon. Si le repli apparaît en premier en bas, descendez le tangon.

Il est préférable que les points d'écoute et d'amure du spi soient à la même hauteur. Vérifiez-le au vent arrière lorsque le vent faiblit et que le point d'écoute retombe. Le tangon doit alors être descendu. Au largue, la position du creux est plus importante. Le point d'amure sera, le plus souvent, plus bas que le point d'écoute.

Volumes du spinnaker

1. Creux dans les parties hautes

Le volume (profil) du spi est défini avant tout par le fabricant lors de la constitution et de l'assemblage des laizes. Néanmoins, **la hauteur des points d'écoute et d'amure affecte le creux en tête de spi.** Lorsqu'ils remontent, les chutes **s'ouvrent** et les épaules s'écartent.

Cela a pour effet **d'aplatir la partie haute du spi,** contrairement à ce que l'on pourrait croire. Si les points d'écoute descendent, les chutes s'étirent et se rapprochent.

> ▶ *Un tangon relevé aplatit la partie haute du spi.*
> ▶ *Un tangon rabaissé creuse la partie haute du spi.*

2. Creux dans les parties basses

Le creux dans les parties basses est contrôlé tout d'abord par la position du point de tire de l'écoute, de la même façon que pour le génois. Normalement, ce creux est situé en arrière, mais grâce à la présence d'un barber-hauler, il peut être déplacé vers l'avant.

Avec une position du point de tire en arrière, le spi est plus plat avec une **chute plus ouverte**.

Le spi est également situé plus en avant de la grand-voile, ce qui permet un écoulement plus favorable pour les deux voiles.

À l'inverse, le creux augmente avec un point de tire plus avancé, la **chute se ferme** – en raison de la composante de tire de l'écoute plus verticale.

> ▶ *Point de tire en arrière :*
> *spi aplati en bas ┄┄▷ chute ouverte.*
> ▶ *Point de tire en avant :*
> *spi creusé en bas ┄┄▷ chute fermée.*

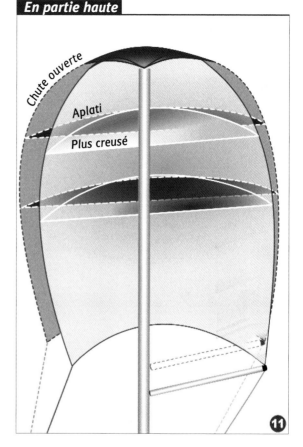

Chute ouverte

Aplati

Plus creusé

11

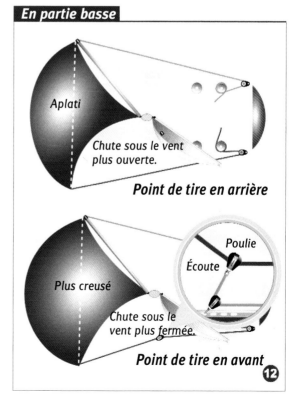

Aplati

Chute sous le vent plus ouverte.

Point de tire en arrière

Plus creusé

Poulie

Écoute

Chute sous le vent plus fermée.

Point de tire en avant

12

49

Position du creux

La position du creux est déterminée par la hauteur relative entre le point d'écoute et le point d'amure du spi. Le principe de les positionner à la même hauteur n'est pas toujours valable.

Avec un vent plus travers, le creux s'avance en abaissant le tangon. En relevant le tangon, il recule.

Sur un voilier de plaisance, le spi doit être réglé pour que le point d'amure soit à la même hauteur ou un peu plus bas que le point d'écoute.

Par vent plus fort, il est impératif d'abaisser le tangon pour avancer le creux.

En cas de risque de départ au lof, choquez la grand-voile et le hale-bas de grand-voile pour laisser échapper de la puissance. Choquez également l'écoute de spi.

Règles de base

> ◗ Il est important d'envoyer (et d'affaler) le spi derrière le génois (fig. 6 et 27).
> ◗ Au portant, réglez le tangon à 90° du vent apparent, (vent apparent 120-180°, fig. 9).
> ◗ Au-delà de 120° du vent apparent, le tangon doit juste être légèrement avancé.
> ◗ Le tangon doit être perpendiculaire au mât (fig. 8).
> ◗ Abaissez le tangon lorsque le vent mollit (fig. 10).
> ◗ Par vent fort, avancez le point de tire du bras en utilisant un barber-hauler (fig. 16).
> ◗ Aux allures proches du vent arrière, point d'écoute et point d'amure doivent être à la même hauteur (fig. 10).

Ces règles ne sont pas absolues. Par vent très fort et par risque de départ au lof, il est évidemment plus important de stabiliser le spi et le bateau que de rechercher la vitesse à tout prix.

> Pour un réglage optimum du spi il faut régulièrement choquer l'écoute pour observer le repli caractéristique sur le guindant. Bordez ensuite juste ce qu'il faut pour le voir disparaître. Cela permet de s'assurer que le spi n'est pas trop bordé, ce qui nuirait à ses performances.

Les plaisanciers n'appliquent généralement pas cette méthode et choisissent de border un peu plus que nécessaire pour naviguer plus tranquillement !

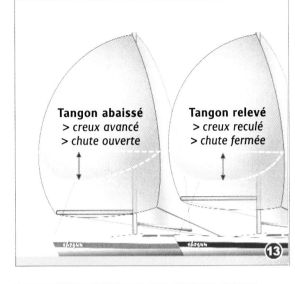

La hauteur du tangon agit sur le creux

Tangon abaissé
> creux avancé
> chute ouverte

Tangon relevé
> creux reculé
> chute fermée

⑬

Trois repères pour mieux régler le spi

1. Conservez la couture médiane parallèle au mât. Si la couture se courbe côté sous le vent en haut du spi, débrassez légèrement. à l'inverse, si elle se courbe côté au vent, reprenez un peu de bras.

2. Évitez de naviguer plein vent arrière. Par vent faible et moyen, lofez légèrement pour augmenter la vitesse et obtenir un vent apparent plus fort.

3. Par vent fort, lofer légèrement assure une progression plus stable qui réduit le risque de roulis et départ à l'abattée (page 53).

⑭

Au portant sous spi

▶ *Régler le tangon à 90° du vent apparent – abaissez le tangon avec un vent mollissant. Assurez-vous de la hauteur identique du point d'écoute et du point d'amure.*
▶ *Positionnez le point de tire toujours vers l'arrière.*

Par vent faible et mer agitée, vous pouvez relâcher du tangon (du bras), c'est-à-dire régler le tangon avec un angle au vent apparent supérieur à 90°. Vous pouvez alors relâcher un peu d'écoute ce qui amène le spi plus en avant. Le spi sera plus creusé dans sa partie basse et plus propulsif. De plus, si le point de tire est ramené en avant, grâce à un barber-hauler, le spi sera plus stable par mer agitée.

Par forte brise, le bateau devient plus difficile à contrôler. Le roulis est à proscrire pour éviter un départ au lof ou à l'abattée aboutissant à un empannage incontrôlé.

Au grand largue

▶ *Reprenez un peu de bras et abaissez le tangon pour stabiliser le guindant du spi.*

Plein vent arrière

▶ *Procédez comme décrit ci-dessus, mais choquez un peu le bras pour vous assurer que le spi ne tire pas trop au vent. Cela engendrerait du roulis.*

▶ *Avancez le point de tire en reprenant du barber-hauler et bordez un peu l'écoute. Cela évite le balancement du spi d'un bord à l'autre, ce qui engendre un roulis rythmique surtout avec une mer formée.*

Stabilité au portant. Pour éviter le roulis dès que le vent fraîchit, il est important que le spi tire le plus en avant possible. Vous pouvez visualiser la direction de tire en observant la drisse en tête de mât (fig. 17). Si cette direction s'éloigne trop de l'axe du bateau, c'est que le spi est mal réglé.
Ce point n'est pas facile à observer, c'est pourquoi :

▶ *Si le bateau commence à rouler côté **au vent**, bordez un peu l'écoute.*
▶ *Si le bateau commence à rouler côté **sous le vent**, choquez un peu d'écoute.*

Le barreur doit sentir les mouvements de son bateau et lofer lorsque le voilier contre-gîte et abattre quand il gîte.

Il est également important d'éviter tout tangage du bateau. L'équipage doit être placé sur l'arrière pour éviter que l'étrave n'enfourne et afin que le safran conserve une efficacité maximale.

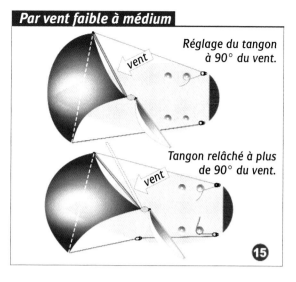

Par vent faible à médium

Réglage du tangon à 90° du vent.

vent

Tangon relâché à plus de 90° du vent.

vent

15

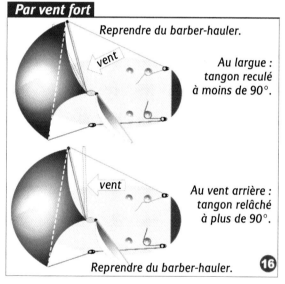

Par vent fort

Reprendre du barber-hauler.

vent

Au largue : tangon reculé à moins de 90°.

vent

Au vent arrière : tangon relâché à plus de 90°.

Reprendre du barber-hauler.

16

La stabilité au portant

Ici, le spi tire légèrement au vent alors que la grand-voile tire un peu sous le vent. La résultante des deux forces est approximativement dans l'axe du bateau ce qui lui assure une meilleure stabilité.

17

Au largue sous spi

▶ *Réglez le tangon à - de 90 ° et conservez le spi gonflé.*
▶ *Reculez le point de tire.*

*Attention : les principes énoncés précédemment sont égale-
ment valables pour un vent de 50 à 120°.*

Lorsque le vent apparent rentre avec un angle inférieur à 120°, il est nécessaire de régler le tangon avec
un angle au vent inférieur à 90°. Conséquence : la
chute s'ouvre et le spi s'éloigne de la grand-voile. Le
spi tire également plus en avant réduisant ainsi la gîte.
Attention à ne jamais laisser le tangon porter sur l'étai.
Comment lofer davantage sous spi ? Cela dépend
de la conception du spi.

> *Généralement, lorsque la force propulsive du spi excède
> 45° d'angle avec l'axe du bateau, il est temps de passer à
> un génois (fig. 17). Mais tentez tout d'abord de relâcher
> un peu d'écoute et de débrasser.*

Les plaisanciers possèdent souvent des spis ineffica-
ces au vent de travers. Il est préférable, dans ce cas de
changer le spi pour un génois.
Au largue dans la brise :

> ▶ *Avec un vent de travers plus fort, le tangon doit être
> réglé comme ci-dessus en l'abaissant légèrement pour
> stabiliser la chute. Le creux s'avance, limitant le risque de
> départ au lof.*
> ▶ *Le point de tire doit être reculé au maximum pour ouvrir
> plus encore la chute. Cela réduit alors la gîte.*
> ▶ *En cas de problème pour barrer ou de gîte trop
> importante, abattez et affalez le spi !*

Régler la grand-voile sous spi

Le spi dévie l'air bien plus que le génois. La grand-
voile doit être davantage bordée pour compenser.
À part cela, le réglage de la grand-voile se fait normalement en augmentant le creux par relâchement de
la bordure et de la drisse.
Au largue, aplatissez la grand-voile pour réduire au
besoin la gîte.
Au portant et par vent plus fort, diminuez le vrillage pour éviter la tendance au roulis. En effet, le haut
de la voile tend à pousser le bateau côté au vent.
Reprenez du hale-bas. Veillez à ce que retenue de
bôme et hale-bas puissent être choqués rapidement.
Par vent plus faible, à l'inverse, mieux vaut laisser
la bôme monter un peu pour favoriser le vrillage.

*Réglez le tangon à – de 90° aussi longtemps que le
spi reste gonflé. Cela ouvre la chute et réduit la gîte.*

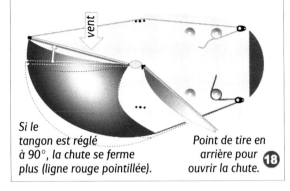

vent

*Si le
tangon est réglé
à 90°, la chute se ferme
plus (ligne rouge pointillée).*

*Point de tire en
arrière pour
ouvrir la chute.* **(18)**

*Dans la brise,
abaissez
légèrement
le tangon et
reculez le point
de tire.*

(19)

*Par vent fort, le vrillage de la grand-voile crée
une force portant au vent dans le haut de la voile.
Prenez du hale-bas !*

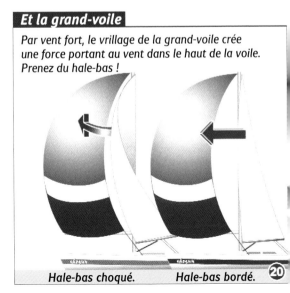

Hale-bas choqué.   **Hale-bas bordé.** **(20)**

Départ au lof
ou à l'abattée

Par vent fort, le bateau reste droit lorsque les forces propulsives sur la grand-voile et le spinnaker s'équilibrent. Le bateau peut être maintenu sur sa course par de petites corrections de barre.

Une rafale ou une vague, faisant gîter soudainement le bateau, peuvent facilement le rendre instable. Les forces véliques agissent alors du même côté et poussent le bateau à « tourner » au vent. Il se peut aussi que l'action sur le safran n'arrive pas à contrecarrer ces forces. Le contrôle de la barre est alors perdu.

La gîte a pour conséquence de faire lofer le bateau déjà naturellement ardent. Dans ce lof souvent violent, l'extrémité de la bôme accroche l'eau. Le bateau se couche : **c'est le départ au lof.** On utilise également l'expression imagée « partir au tas ».

Un départ à l'abattée, suivi d'un empannage, peut également se produire. Une situation dangereuse surtout si une retenue a été mise en place. La bôme remonte et le vent prend à contre dans la partie basse de la grand-voile. Conséquence : une contre-gîte importante et violente. Le bateau peut alors se remplir d'eau par un panneau resté ouvert.

Pour éviter les départs au lof : ne cherchez pas à loffer, choquez les écoutes et abattez un peu dans les rafales. Plus le vent souffle, plus il faut abattre tout en évitant de se retrouver plein vent arrière.

Que faire en cas de départ au lof :

- ▶ *Choquez la grand-voile.*
- ▶ *Choquez le hale-bas de grand-voile pour évacuer la surpuissance.*
- ▶ *Choquez l'écoute de spi.*
- ▶ *Abattez en grand.*

Que faire en cas de départ à l'abattée :

Criez **« baissez la tête ! »**. L'équipage doit s'éloigner de l'écoute de grand-voile. La bôme traverse avec violence le cockpit d'un bord à l'autre si aucune retenue ne l'en empêche ou si cette dernière s'est rompue.

- ▶ *Choquez la retenue ou coupez-la pour laisser passer la bôme.*
- ▶ *Choquez le hale-bas de grand-voile.*
- ▶ *Si nécessaire, débrassez (sur le nouveau côté sous le vent). Si le hale-bas de tangon est choqué suffisamment rapidement durant l'abattée, le spi et le tangon pourront être sauvés de l'immersion et de la destruction.*

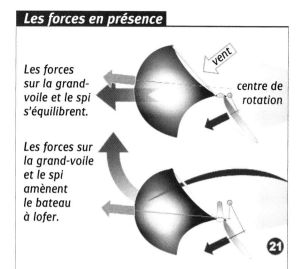

Les forces en présence

Les forces sur la grand-voile et le spi s'équilibrent.

Les forces sur la grand-voile et le spi amènent le bateau à lofer.

centre de rotation

vent

21

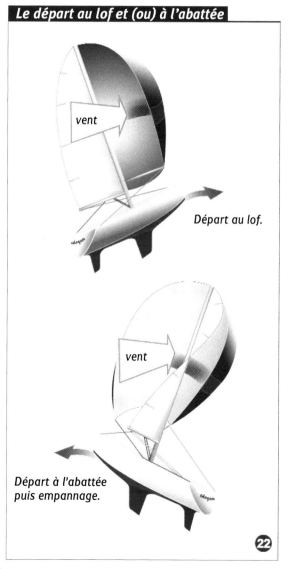

Le départ au lof et (ou) à l'abattée

vent

Départ au lof.

vent

Départ à l'abattée puis empannage.

22

Barrer au portant dans la brise

Lorsque le voilier est au portant par vent fort, le roulis peut provoquer de sérieux problèmes. Il doit donc être soigneusement évité. Il est conseillé pour cela de brider le spi avec un barber-hauler et de régler correctement bras et écoute comme expliqué page 51.

Stoppez toute tendance au roulis en barrant juste :

> ▶ *Si le bateau roule sous le vent :*
> *abattez un peu.*
> ▶ *Si le bateau roule au vent :*
> *lofez légèrement.*

La plupart des plaisanciers ont tendance à faire exactement l'inverse, ce qui accentue le problème.

Bien évidemment, il ne faut pas abattre lorsque l'on est plein vent arrière. C'est pourquoi, il est préférable de toujours conserver un angle de sécurité avec le plein vent arrière. Cela permet de pouvoir abattre sans risquer un empannage « sauvage ».
Néanmoins, si vous avez mis en place une retenue efficace, vous pouvez employer la technique ci-dessus avec un degré plus large de sécurité. Vous verrez immédiatement la prise à contre de la grand-voile et vous serez en mesure de corriger la route alors que la retenue de bôme évitera tout empannage.

> *Essayez toujours d'anticiper les mouvements du bateau. Plus vous réagissez vite, plus vous restez maître de votre voilier.*

Notez, enfin, qu'un départ au lof est moins dangereux qu'un départ à l'abattée. ce dernier entraîne un empannage, des dégâts et un risque important pour l'équipage.

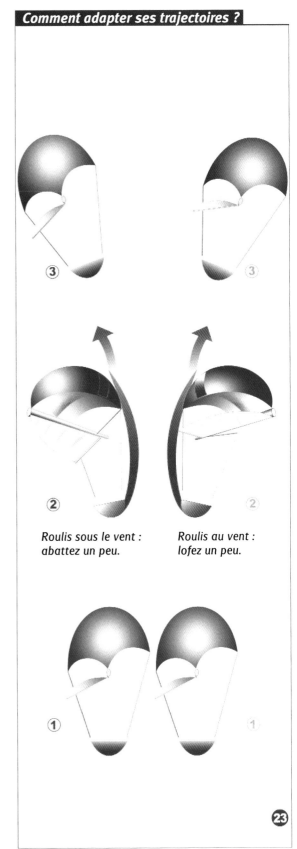

Roulis sous le vent : abattez un peu.

Roulis au vent : lofez un peu.

Empanner sous spi

Il existe deux façons d'empanner le spi. Sur les grosses unités, il est généralement utilisé un jeu supplémentaire de bras et d'écoute.

Avec un seul tangon

La technique présentée ici est la plus simple et ne requiert pas d'équipements supplémentaires. Néanmoins, il est difficile de l'appliquer par vent fort et mer agitée, tout particulièrement si le bateau mesure plus de 30 pieds. En effet, le tangon doit être détaché du mât durant l'empannage.

> ▶ *Abattez au vent arrière et conservez une route stable.*
> ▶ *Choquez l'écoute et brassez.*
> ▶ *Choquez le hale-bas juste avant que l'équipier ne détache le tangon du mât et l'accroche sur l'écoute. La grand-voile doit être empannée à ce même moment.*
> ▶ *Débrassez et décrochez le tangon du bras et raccrochez-le au mât. Reprenez ensuite du hale-bas.*
> ▶ *Empannez la grand-voile.*
> ▶ *Réglez le spi sur la nouvelle amure.*

Il est plus facile pour l'équipier d'empoigner l'écoute pour l'accrocher au tangon si le barber-hauler est repris. En tous cas, à ce moment précis, la conduite à la barre devient délicate car il faut éviter un empannage intempestif de la grand-voile.

> *Avec un équipage réduit ou par vent plus fort, une solution alternative et prudente est d'affaler le spi, d'empanner et de le renvoyer sur l'autre bord.*

En régate, grand-voile et spi sont empannés simultanément. En navigation de plaisance, il est préférable d'empanner la grand-voile en premier, surtout avec un équipage inexpérimenté.

À bord d'un bateau stable, il est bon de border la grand-voile à mi-course pour conserver le spi gonflé lors de l'empannage.

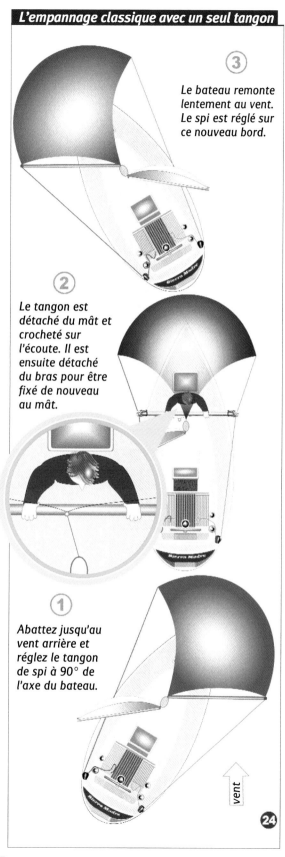

L'empannage classique avec un seul tangon

③ Le bateau remonte lentement au vent. Le spi est réglé sur ce nouveau bord.

② Le tangon est détaché du mât et crocheté sur l'écoute. Il est ensuite détaché du bras pour être fixé de nouveau au mât.

① Abattez jusqu'au vent arrière et réglez le tangon de spi à 90° de l'axe du bateau.

vent

24

Avec deux tangons

Si le bateau est équipé de deux tangons mais d'**un seul jeu de bras et d'écoute**, il faut alors procéder de la manière suivante :

▶ *Abattez vent arrière et réglez le tangon à 45° (*).*
▶ *Fixez le second tangon au mât et accrochez l'écoute (**).*
▶ *Raidissez le hale-bas et réglez la hauteur du deuxième tangon à 45° (*).*
▶ *Empannez la grand-voile et détachez le premier tangon.*
▶ *Réglez le spi sur le nouveau bord.*

(*) À partir de l'axe du bateau. (**) Il est souvent difficile, surtout sur de grosses unités, de fixer le tangon sur l'écoute alors qu'il est déjà au mât. Il peut être nécessaire de le fixer d'abord sur l'écoute puis au mât.

Si le voilier dispose d'**un deuxième jeu de bras et d'écoute**, le deuxième tangon doit être fixé sur l'écoute supplémentaire. Bordez-la ensuite pour l'utiliser comme bras. Avant d'empanner, assurez-vous que hale-bas et la balancine sont réglés sur le deuxième tangon. Vous pouvez alors empanner la grand-voile.

Lorsque la grand-voile est empannée, ajustez la nouvelle écoute et relâchez le bras du premier tangon pour que l'équipage puisse le détacher et le ramener sur le pont.

Réglez enfin le spi sur la nouvelle amure.

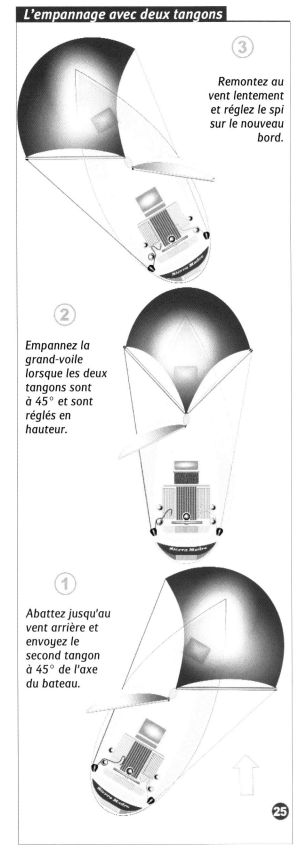

L'empannage avec deux tangons

③ Remontez au vent lentement et réglez le spi sur le nouveau bord.

② Empannez la grand-voile lorsque les deux tangons sont à 45° et sont réglés en hauteur.

① Abattez jusqu'au vent arrière et envoyez le second tangon à 45° de l'axe du bateau.

L'empannage sous l'étai sans jeu d'écoute supplémentaire et en l'absence de bas-étai demande une certaine attention :

▶ *Abattez jusqu'au vent arrière et stabilisez le spi.*
▶ *Choquez un peu de balancine de tangon et détachez le tangon du bras.*
▶ *Choquez le hale-bas et passez le tangon sous l'étai, en remontant son point d'attache sur le mât si nécessaire, pour aller le fixer sous le vent, sur l'écoute.*
▶ *Reprenez la balancine et le hale-bas du tangon.*
▶ *Empannez la grand-voile. Remontez légèrement au vent et réglez le spi sur le nouveau bord.*

La grand-voile devrait être empannée au moment où le tangon est envoyé sous le vent. Avec un équipage inexpérimenté, il est conseillé de procéder comme décrit précédemment.

L'empannage sous l'étai avec jeu d'écoute supplémentaire réclame le parfait enchaînement de plusieurs actions :

▶ *Abattez jusqu'au vent arrière et stabilisez le spi.*
▶ *Remontez le point d'attache sur le mât pour que le tangon puisse passer sous l'étai.*
▶ *Choquez un peu de balancine et détachez le tangon du bras.*
▶ *Passez le tangon sous l'étai et attachez-le sous le vent à la deuxième écoute.*
▶ *A ce moment, la grand-voile est empannée.*
▶ *Réglez la hauteur du tangon et reprenez la balancine et le nouveau bras.*
▶ *Remontez légèrement au vent et réglez le spi sur le nouveau bord.*

Cette méthode est très efficace mais demande une bonne coordination de l'équipage. Lorsque le tangon est passé sous l'étai, la deuxième écoute doit aussitôt y être fixée.

Il est important que le barreur conserve le spi stable et en avant.

> *Lorsque le tangon est détaché, le spi n'est plus contrôlé que par deux écoutes. Le barreur doit le conserver gonflé jusqu'à ce que le tangon soit fixé au nouveau bras et que la grand-voile soit empannée.*

Si la grand-voile est bordée dans l'axe du bateau, le spi reste gonflé durant l'empannage même si la grand-voile est empannée avant.

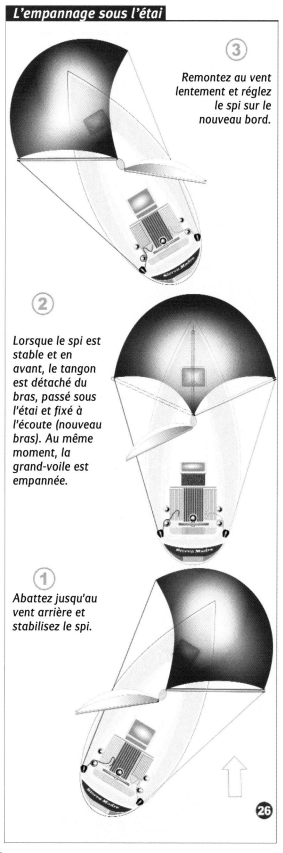

L'empannage sous l'étai

③ Remontez au vent lentement et réglez le spi sur le nouveau bord.

② Lorsque le spi est stable et en avant, le tangon est détaché du bras, passé sous l'étai et fixé à l'écoute (nouveau bras). Au même moment, la grand-voile est empannée.

① Abattez jusqu'au vent arrière et stabilisez le spi.

26

Affaler le spi

Beaucoup de plaisanciers pensent que l'affalage du spi est une manœuvre délicate. Effectuée sous le vent du génois et en suivant la méthode ci-dessous, cette manœuvre ne pose pas de problème particulier.

▶ *Envoyez le génois sous le vent et abattez un peu.*
▶ *Relâchez le bras jusqu'à ce que le tangon effleure l'étai.*
▶ *Vérifiez que le hale-bas est bien tendu.*
▶ *Désolidarisez le spi du bras. Si nécessaire, abaissez le tangon pour atteindre le mousqueton ou le bout d'ouverture (A). Vous pouvez aussi choquer le bras en grand.*
▶ *Ramenez le spi en tirant sur l'écoute.*
▶ *Choquez la drisse de manière rapide et contrôlée.*
▶ *Etouffez le spi sous la bôme en l'engouffrant dans la descente.*
▶ *Ferlez ou pliez le spi pour le prochain envoi.*

Prenez l'écoute au plus proche du spi et tirez-le à grande brassée le long de la chute. Quand la tête arrive, attrapez le spi au milieu.

> *Ne choquez jamais la drisse avant que le spi ne soit libéré du bras et qu'un équipier ne soit prêt à le rentrer.*

Il existe d'autres façons de procéder, cependant cette méthode est la plus sûre pour le plaisancier. Elle fonctionne également par vent de travers.

Si le spi se retrouve à l'eau, libérez complètement la drisse hors du mât. Ralentissez le bateau en remontant au vent. Le spi sera traîné par le voilier, et tenu uniquement par l'écoute. Ramenez le tout à bord. Vous devez ralentir le bateau en remontant au vent.

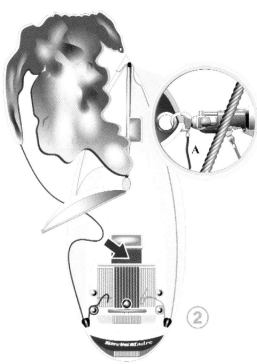

Choquez la drisse et tirez le spi aussi vite que possible sous la bôme et vers la descente.

vent

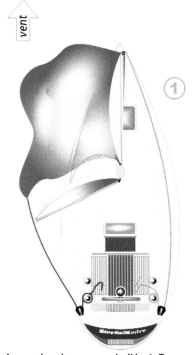

Approchez le tangon de l'étai. Ramenez l'écoute et libérez le spi du bras. Le spi se dévente alors.

Le gennaker

Le gennaker, également appelé **spi asymétrique,** est une alternative au spinnaker. Son point d'amure est fixé sur le pont du bateau ou sur un bout-dehors. Il se règle comme un génois, du largue au grand largue. Le plein vent arrière est à éviter. Il est alors préférable de « tirer des bords » de grand largue.

Le gennaker est plus grand qu'un génois et plus petit qu'un spi. Avec un point d'écoute haut, il convient bien de 90 à 140° du vent.

Envoyer le gennaker :

▶ *Amarrez le sac sur le pont.*
▶ *Fixez le point d'amure avec une pantoire de 50 centimètres.*
▶ *Passez la contre-écoute devant l'étai.*
▶ *Hissez rapidement avec l'écoute relâchée.*
▶ *Bordez l'écoute jusqu'à ce que le gennaker soit gonflé.*

Empanner le gennaker :

▶ *Abattez grand-largue.*
▶ *Choquez l'écoute jusqu'à ce que le gennaker faseye.*
▶ *Passez la contre-écoute devant l'étai et revenez dans le cockpit pour bordez.*
▶ *Bordez l'écoute jusqu'à ce que le gennaker soit à nouveau gonflé.*

Affaler le gennaker :

▶ *Abattez grand-largue.*
▶ *Reprenez l'écoute.*
▶ *Relâchez la drisse rapidement. Récupérez le gennaker sous la bôme et vers la descente.*

Utilisez la même technique que pour le spi. Agrippez l'écoute au plus proche de la voile et tirez-la à grandes brassées le long de la chute. Quand la tête approche, agrippez le gennaker au milieu de la voile.

Au vent de travers, conservez le point d'amure au niveau du pont.

Au grand-largue, relâchez la pantoire du point d'amure pour que le gennaker soit dégagé de la grand-voile.

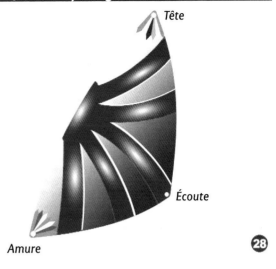

Tête

Écoute

Amure

28

Comment régler le gennaker ?

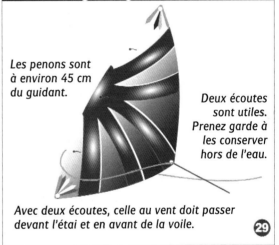

Les penons sont à environ 45 cm du guidant.

Deux écoutes sont utiles. Prenez garde à les conserver hors de l'eau.

Avec deux écoutes, celle au vent doit passer devant l'étai et en avant de la voile.

29

Comment régler le point d'amure ?

Si le point d'amure est fixé au pont par un bout passant dans une poulie, la hauteur peut ainsi être ajustée.

30

En résumé :

Les grandes lignes du réglage des voiles de portant sont similaires à celles des voiles de près (même si l'importance du creux occasionne des réactions différentes).

En effet, pour obtenir le meilleur rendement, on s'attache à maintenir le guindant à la limite du déventement, soit en réglant l'écoute soit en changeant le cap, une fois trouvée la position optimale du point d'amure et du tangon.

Par leur surface (double de celle des voiles de près) et leur creux important qui les rendent surpuissantes, le spinnaker et le gennaker présentent des risques lorsqu'ils ne sont plus maîtrisés.

La règle d'or, à ne jamais oublier : abattre sans aller jusqu'à risquer l'empannage ou le roulis rythmique.

‣ *La vitesse du bateau se déduisant de celle du vent, le vent apparent est moindre et les efforts aussi.*
‣ *Le spi ou le gennaker peuvent être aisément masqués derrière la grand-voile pour être affalés.*

Quelques précautions supplémentaires :

Page 46 : circuit d'écoute. Vérifiez que les circuits d'écoute, de bras et de drisse sont bien clairs, à l'extérieur de toutes manœuvres.

Assurez-vous également que les trois mousquetons (écoute, drisse et bras) s'ils sont reliés ensemble, puissent être manœuvrés du point 2 à 5 sans que l'écoute, la drisse et le bras se trouvent prisonniers sous une filière, entre les haubans, sous le génois ou son écoute, derrière l'étai, sous le balcon, avec une autre drisse ou encore sous la balancine.

Page 47 : à hisser (attention les mains !). Lors de la montée, la drisse ne doit pas pouvoir filer au cas où le spi se gonflerait prématurément.

Pour assurer cette tâche, un équipier préposé à l'embraque de la drisse récupère le mou autour d'un winch derrière l'équipier qui hisse « à la volée ». Le bloqueur est maintenu en position fermée.

Page 53 : remédier à l'abattée.

Alternativement, l'écoute de spi peut être lâchée pour laisser partir le spi en « drapeau » puis le rentrer par le bras, sous le vent de la grand-voile.

Cette technique exige une réaction immédiate et qu'aucun nœud d'arrêt n'empêche l'écoute de filer.

Inconvénients :

Suite à cette manœuvre, il est difficile de récupérer l'écoute, et le spi ne peut qu'être rentré.

Enfin, notons que dans les battements du spi, il est courant que l'écoute se décroche et parte à l'eau.

3. Le réglage du gréement

Il est capital d'avoir un gréement correctement réglé. Le cas échéant, le bateau est ralenti, remonte moins au vent, gîte davantage, dérive et est plus difficile à barrer.

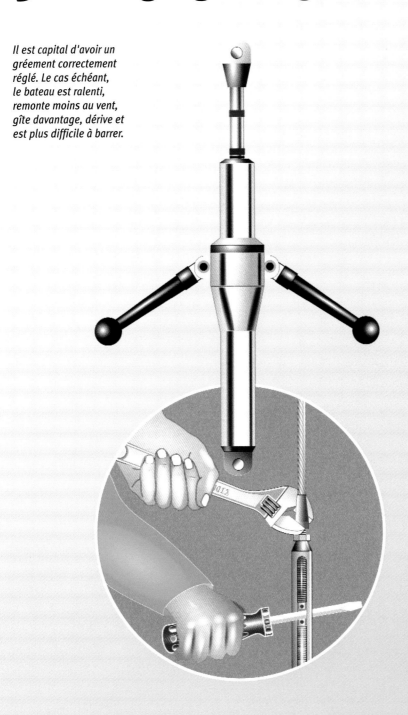

Différents types de gréement

Le gréement sloop (bermudien) est le gréement le plus couramment utilisé. Il existe deux variantes : le **gréement en tête** et le **gréement fractionné.**

Le gréement en tête :

 ◗ *Stable, facile à régler.*
 ◗ *Moins d'options de réglages.*
 ◗ *Voiles d'avant plus importantes et grand-voile plus petite.*

Le gréement fractionné :

 ◗ *Plus d'options de réglages.*
 ◗ *Grand-voile plus importante et voiles d'avant plus réduites.*
 ◗ *Plus exigeant dans les réglages.*

Les trois aspects essentiels du réglage :

 ◗ *Les haubans.*
 ◗ *L'étai et le pataras.*
 ◗ *Le réglage plus fin sous voiles.*

Mise en place du mât

 ◗ *Ajustez les galhaubans jusqu'à ce que le mât soit vertical.*
 ◗ *Tendez les galhaubans de façon égale des deux côtés.*

Assurez-vous de la stabilité du bateau et de la quasi absence de vent. Positionnez le mât sur le pont et tendez légèrement les galhaubans, étai et pataras jusqu'à ce que le mât se maintienne droit.

Pour un mât posé sur la quille, les cales de fixation ne doivent pas être placées immédiatement (fig. 10-12). Si la bôme est fixée, laissez-la posée sur le pont pour garder la balancine relâchée.

Les bas-haubans et le bas-étai doivent également être relâchés.

Trouvez deux points sur le rail de fargue à égale distance de la base du mât. Mesurez, à l'aide d'une drisse, ces deux points. Si les mesures sont inégales, reprenez le ridoir du côté de la plus grande mesure. Lorsque les mesures sont identiques des deux côtés, le mât est normalement droit.

Beaucoup de plaisanciers effectuent cette vérification de visu. Cela peut suffire, mais implique que le bateau soit parfaitement droit au moment de la vérification. Effectuée à l'aide de la drisse, celle-ci reste plus précise.

Tendez enfin les galhaubans avec un nombre identique de tours sur chaque ridoir et refaites une mesure.

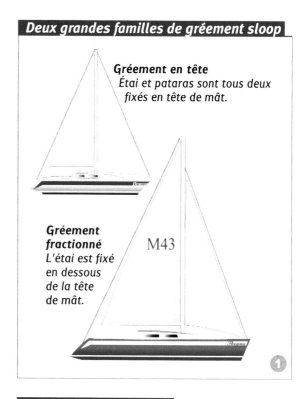

Deux grandes familles de gréement sloop

Gréement en tête
Étai et pataras sont tous deux fixés en tête de mât.

Gréement fractionné
L'étai est fixé en dessous de la tête de mât.

M43

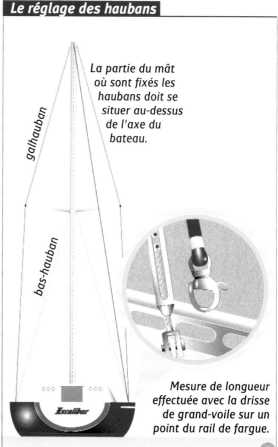

Le réglage des haubans

La partie du mât où sont fixés les haubans doit se situer au-dessus de l'axe du bateau.

galhauban

bas-hauban

Mesure de longueur effectuée avec la drisse de grand-voile sur un point du rail de fargue.

Réglage de l'étai et du pataras

Ajuster la quête du mât. Le mât est en général positionné avec une légère inclinaison sur l'arrière appelée quête, qui contribue à rendre le bateau ardent lors de la remontée au vent. La quête choisie est généralement de **1** à **3** degrés :

> ◗ *Maintenez le bateau stable.*
> ◗ *Mesurez la valeur de* **b** *comme montré figure 3.*
> ◗ *Ajustez les ridoirs d'étai et de pataras pour arriver à la quête désirée.*

Sur les gréements fractionnés qui en sont équipés, il est préférable d'utiliser les bastaques plutôt que le pataras pour régler la quête.

Réglages courants pour un gréement :

> ◗ *En tête*   0,5 - 1°   **b** = 0,9 - 1,75 cm/m
> ◗ *Fractionné*   2 - 3°   **b** = 3,5 - 5,25 cm/m

Exemple : gréement fractionné avec **P** = 12 m. On obtient **b** = 12 x 5,25 = 63 cm. On peut également trouver **b** à la lecture du diagramme ci-dessous.

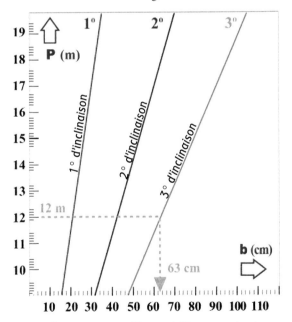

Distance **b** *en fonction de* **P** *pour différentes inclinaisons.*

La longueur d'étai détermine la quête du mât.

L'influence du pataras est mineure sur la quête. Sur un gréement en tête, il contrôle davantage la tension de l'étai. Il en est de même pour les bastaques sur un gréement fractionné. Sur ce dernier, privé de bastaques, c'est la tension des haubans qui détermine la tension (cintre) de l'étai.

Plus la quête est importante, plus le voilier est ardent.

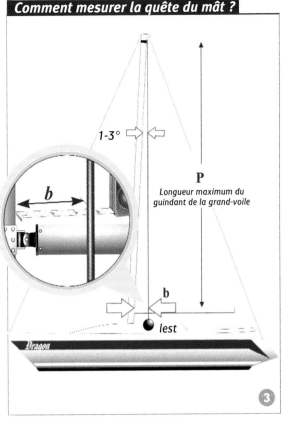

1-3°

P
Longueur maximum du guindant de la grand-voile

b

b

lest

Dragon

❸

Un seau d'eau en guise de fil à plomb

Attachez un objet lesté sur la drisse de grand-voile pour effectuer la mesure de b.
Un seau d'eau amortira les oscillations.

❹

Tension du pataras

Quelle est la tension maximale du pataras ? Le constructeur choisit souvent une tension maximale qui est à **30-40 %** de la tension de rupture. La marge de sécurité est alors raisonnable par rapport aux surcharges éventuelles.

Une fois la quête réglée, le pataras doit être tendu. Utilisez la méthode décrite à la page suivante pour établir une tension à **30 %** de la tension de rupture. (ce qui correspond à une élongation **f = 6 mm**).

Cette valeur est maintenant la tension maximale de pataras. Marquez cette mesure sur le ridoir.

Relâchez ensuite le pataras pour arriver à **f = 4 mm.** La tension est alors à **2/3** de la tension maximale. Vérifiez la quête du mât. Modifiez la tension d'étai et du pataras pour parvenir à l'inclinaison souhaitée en conservant une tension de pataras à **2/3** de la tension maximale.

Sur les gréements fractionnés munis de bastaques, ce sont ces dernières qui permettent d'ajuster la quête du mât.

Sur les gréements fractionnés avec barres de flèche poussantes, la tension maximale de pataras est limitée par le cintrage du mât. Le cintrage maximum du mât dépend aussi du profil de la grand-voile (page 69).

Si votre voilier ne dispose pas d'un pataras réglable ou si vous ne voulez pas y toucher pendant la navigation, réglez la tension à **2/3** de la tension maximale après avoir effectué le réglage complet du gréement au port. Vous pourrez alors laisser le pataras en l'état, constamment tendu. Relâchez les tensions du gréement (pataras) lorsque le bateau reste à quai.

> *Si vous devez en permanence reprendre les tensions de gréement pour maintenir vos réglages, c'est que la coque se déforme sous la charge. Il faut alors relâcher toutes les tensions et consulter un professionnel.*

Une autre méthode pour trouver la tension de pataras maximale est de naviguer au près avec le génois et un angle de gîte de **20** à **25 degrés.**

Positionnez-vous devant l'étai et regardez tout le long. Remarquez que le cintrage de l'étai (flèche d'étai) augmente à mesure que votre équipier relâche le pataras. Demandez-lui alors de reprendre le pataras jusqu'à ce que celui-ci ne réduise plus le cintrage de l'étai. Cela vous donne alors la tension maximale de pataras. moins précise, cette méthode est néanmoins plus simple que la première.

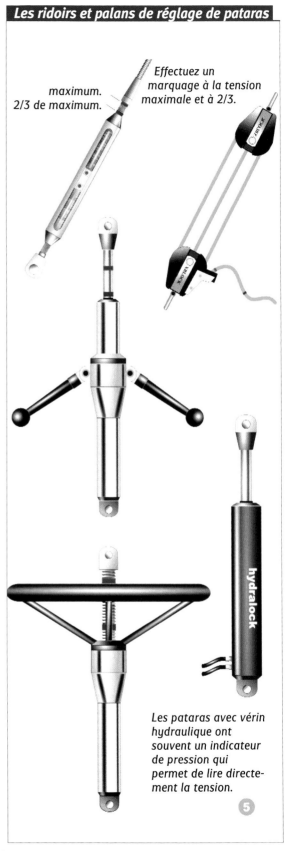

Les ridoirs et palans de réglage de pataras

Effectuez un marquage à la tension maximale et à 2/3.

maximum.
2/3 de maximum.

Les pataras avec vérin hydraulique ont souvent un indicateur de pression qui permet de lire directement la tension.

Tension des câbles

Pour régler correctement votre gréement, définissez la **tension des haubans, de l'étai et du pataras** par la méthode décrite ci-dessous.

L'élongation du câble ou du rod est mesurée en pourcentage. Le réglage correspond à un pourcentage par rapport à la tension de rupture du câble. Vous pouvez mesurer l'élongation de celui-ci sur toute sa longueur ou sur une partie seulement (deux mètres au moins). La précision augmente avec la longueur choisie. Démarrez avec un minimum de tension sur le câble, car l'allongement se mesure toujours depuis un câble ou un rod (tige d'acier) très tendu.

Voici la marche à suivre (fig. 6) : marquez tout d'abord le câble sur deux mètres, en prenant sa terminaison pour référence de départ. Mesurez l'allongement élastique (**f**) de la longueur du câble à mesure que le ridoir est repris, petit à petit. Arrêtez lorsque **f = 3 millimètres** (**4 millimètres** sur les gréements fractionnés avec barres de flèche poussantes). Notez qu'un allongement **f** de **1 millimètre** sur une longueur de **2 mètres** correspond à **5 %** de la tension de rupture, ceci indépendamment du diamètre du câble. Attention : pour le rod, un allongement **f** de **1 millimètre** pour **2 mètres** correspond à **7,5 %** de la tension de rupture. Enfin, n'oubliez pas que pour la même tension, une longueur de référence différente aura une élongation différente, comme le montrent les exemples suivants.

▶ *Sur 1 mètre de câble :*
0,5 mm d'élongation correspond à
5 % de la tension de rupture,
1 mm d'élongation correspond à
10 % de la tension de rupture,
1,5 mm d'élongation correspond à
15 % de la tension de rupture.
▶ *Sur 2 mètres de câble :*
1 mm d'élongation correspond à
5 % de la tension de rupture,
2 mm d'élongation correspondent à
10 % de la tension de rupture,
3 mm d'élongation correspondent à
15 % de la tension de rupture.

Le câble, constitué de plusieurs torons tressés, a l'avantage de prévenir par un toron cassé lorsqu'il y a danger de rupture. Le rod, fait d'un brin unique non tressé, a une résistance **20 %** supérieure pour un même diamètre ; mais sa fatigue ne se voit pas et la casse est brutale.

▶ *Sur 2 mètres de rod :*
1 mm d'élongation correspond à
7,5 % de la tension de rupture,
2 mm d'élongation correspondent à
15 % de la tension de rupture.

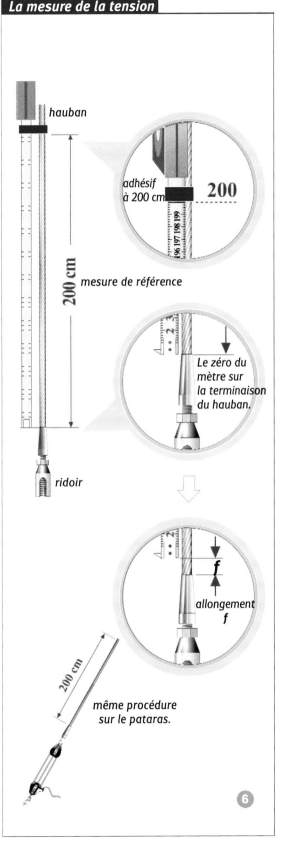

La mesure de la tension

hauban

adhésif à 200 cm

200

200 cm

mesure de référence

Le zéro du mètre sur la terminaison du hauban.

ridoir

f

allongement f

200 cm

même procédure sur le pataras.

6

Tension dans les galhaubans

Lorsque le mât est maintenu sur les côtés et que la quête est choisie, c'est le moment de régler la tension dans les galhaubans.

Tendez-les à environ **15 %** de la tension de rupture. Cela correspond à un allongement **f** de **3 millimètres** pour une longueur de référence de **2 mètres**, comme nous l'avons vu dans la page précédente.

Sur un gréement fractionné avec des barres de flèche poussantes, les haubans doivent être tendus à **20 %** de la tension de rupture. Cela correspond à un allongement de **f = 4 millimètres.** Ce gréement, sans bastaques, requiert des galhaubans fortement tendus pour conserver un étai tout aussi tendu (page 70). Si cette tension n'est pas suffisante pour obtenir un cintrage de l'étai acceptable, augmentez la tension à **25 %** de la tension de rupture sans jamais la dépasser.

Un gréement trop lâche provoque des chocs qui peuvent causer des fissures et même provoquer la chute du mât.

Attention, il n'est pas possible de tendre excessivement un câble avec des outils (leviers) trop petits.

À ce stade, les bas-haubans peuvent rester plutôt lâches. Si plusieurs cintrages distincts sont visibles sur la longueur du mât il faut alors les tendre.

Beaucoup de plaisanciers règlent intuitivement leur gréement au port et l'ajustent en navigation.

Ce parti pris peut donner de bons résultats. Cependant, la méthode décrite plus haut reste, avec un peu de temps, plus sûre et plus fiable (page 78).

Les galhaubans

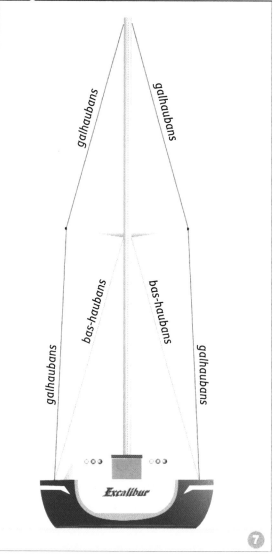

galhaubans

galhaubans

bas-haubans

bas-haubans

galhaubans

galhaubans

Excalibur

Les tensions de rupture

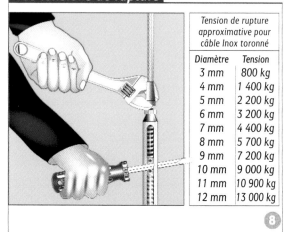

Tension de rupture approximative pour câble Inox toronné	
Diamètre	Tension
3 mm	800 kg
4 mm	1 400 kg
5 mm	2 200 kg
6 mm	3 200 kg
7 mm	4 400 kg
8 mm	5 700 kg
9 mm	7 200 kg
10 mm	9 000 kg
11 mm	10 900 kg
12 mm	13 000 kg

Précintrage du mât

En ajustant le pataras et l'étai, le mât se cintre : il est alors possible, tout en naviguant, de régler la grand-voile suivant différentes directions et forces de vent. Le cintrage du mât est utilisé, comme cela a été expliqué précédemment, pour aplatir la partie haute de la grand-voile lorsque le vent augmente. Il doit être ajusté pour s'adapter au profil de la voile.

Gréement en tête. Le précintre sur un mât posé sur la quille peut être induit par le déplacement du pied de mât et/ou par l'ajustement des cales d'étambrai (fig. 10-12). Après la mise en place des cales, vous pouvez reprendre le bas-étai ou les bas-haubans avant pour obtenir le cintrage voulu. Tendez jusqu'à ce que le cintrage soit de **15 à 20 millimètres.** Utilisez la drisse de grand-voile pour l'évaluer. Si vous tendez les bas-haubans, vérifiez aussi la rectitude latérale du mât. À ce stade, les bas-haubans arrière peuvent être lâches.

Gréement fractionné. Il existe deux types de gréement fractionné : avec barres de flèche poussantes, et avec barres de flèche droites qui nécessitent la présence de bastaques pour tenir le mât. Dans le cas du gréement fractionné, avec barres de flèche poussantes et sans bastaques, lorsque les haubans sont tendus à **20 %** de la tension de rupture (page 70), le mât est contraint vers l'avant au niveau des barres de flèche. Les bas-haubans doivent alors être ajustés pour avoir le cintrage voulu.

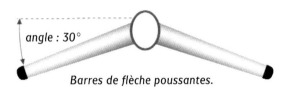

angle : 30°

Barres de flèche poussantes.

Gréement fractionné avec barres de flèche droites et bastaques. Le précintrage s'effectue de la même façon que pour un gréement en tête. Les bastaques doivent être maintenues tendues lors des ajustements pour précintrer.

Barres de flèche droites.

Il est difficile de donner des valeurs précises pour le précintrage, car il dépend du profil de la grand-voile et notamment de son rond de guindant. Seules des indications sont donc données. N'hésitez pas à consulter votre maître-voilier ou le constructeur du bateau.

Les illustrations ci-dessous sont délibérément exagérées pour clarifier le phénomène.

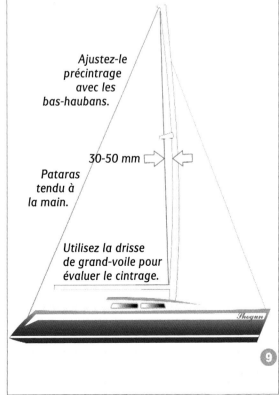

Pataras tendu à la main.

15-20 mm

étai

bas-étai

bas-hauban

Utilisez la drisse de grand-voile pour évaluer le cintrage.

Le gréement fractionné

Ajustez-le précintrage avec les bas-haubans.

30-50 mm

Pataras tendu à la main.

Utilisez la drisse de grand-voile pour évaluer le cintrage.

67

Mât posé sur quille

Toutes les cales d'étambrai doivent être retirées jusqu'à ce que le mât ait pris sa position verticale avec la quête voulue.

Vous pouvez alors induire un cintrage du mât en déplaçant les cales vers l'arrière ou en insérant une cale plus fine à l'arrière du pied de mât.

Les cales sont nécessaires pour prévenir des mouvements du mât dans l'étambrai.

Insérez toujours la cale arrière en premier. Passez ensuite autour du mât un bout à **50-60 centimètres** du pont et envoyez-le sur un des winches pour compressez la cale arrière et permettre d'insérer la cale avant. Un lubrifiant ou du produit vaisselle vous facilitera la tâche.

Le mât doit être réglé de manière à être légèrement en avant au-dessous du pont, pour entraîner un cintrage sur toute sa longueur. Un angle de **1 degré** est souhaitable.

Le pied de mât doit être en arrière de la droite partant de son sommet et passant par l'étambrai lorsque le pataras est à sa tension maximale (fig. 12).

La distance **(a)** doit être d'environ **15 mm/m** de hauteur entre l'embase et l'étambrai **(h).**

Le cintrage **(b)** du mât ne doit pas excéder **2 %** de **H** ou **I**.

Mémo pour bien régler : *Notez tous les réglages que vous réalisez. Vous ferez ainsi moins d'erreurs et gagnerez du temps l'année suivante. Cela vous permettra aussi de mieux comprendre votre gréement et d'acquérir de l'expérience sur l'incidence des différents réglages sur votre voilier.*

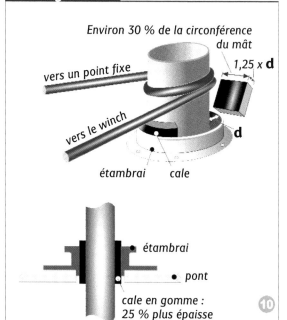

Environ 30 % de la circonférence du mât

1,25 x **d**

vers un point fixe

vers le winch

d

étambrai   cale

étambrai

pont

cale en gomme : 25 % plus épaisse que l'ouverture.

10

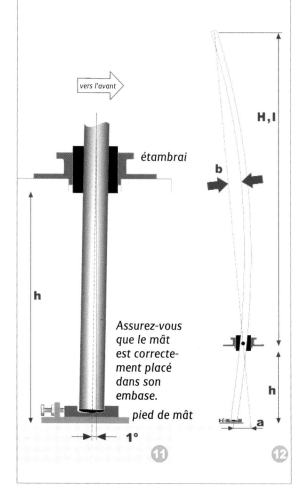

vers l'avant

H,I

étambrai

b

h

Assurez-vous que le mât est correctement placé dans son embase.

pied de mât

1°

h

a

11   **12**

Cintrage maximum

Évaluation sur un gréement en tête :

⏵ *Tendez le pataras jusqu'à la marque maximale. Le cintrage du mât est d'environ **50** % du diamètre **(D)** mais ne doit pas dépasser **2** % de **H** (hauteur du mât au-dessus du pont).*

Beaucoup de plaisanciers décident de régler leur mât aussi droit que possible, pourtant un léger cintrage est souvent bénéfique.

Évaluation sur un gréement fractionné avec barre de flèche poussantes sans bastaques :

⏵ *Tendez le pataras jusqu'à obtenir un cintrage approximatif de **1,5 X D** et notez-le comme tension maximale.*

Le cintrage ne doit jamais dépasser **2** % de **I** (distance du pont au capelage de l'étai).

Évaluation sur un gréement fractionné avec barres de flèche droites et bastaques :

⏵ *Tendez les bastaques au maximum. Un cintrage de **1,5 x D** est souhaitable sans jamais dépasser **2** % **de I**.*

Il est bien difficile de donner des valeurs maximales de cintrage. Les valeurs données ci-dessus sont pour le cas général et ne sont peut-être pas adaptées à votre bateau.

Le profil de la grand-voile et les caractéristiques du gréement priment sur toute autre considération. Il est donc préférable de consulter l'avis du maître voilier, du constructeur, d'un gréeur professionnel ou encore de se rapprocher des associations de propriétaires qui sont souvent d'une grande aide.

Le gréement fractionné avec des barres de flèche classiques (droites) nécessite la présence de bastaques.
Des bastaques de mi-hauteur (les basses-bastaques) sont généralement utilisées sur les voiliers de course pour contrôler le cintrage du mât dans sa partie médiane et basse.
Les bastaques ont la même fonction que le pataras sur un gréement en tête. La flexion de l'étai diminue et le mât se cintre en aplatissant la grand-voile lorsque les bastaques sont tendues.

Les gréements en tête et fractionné

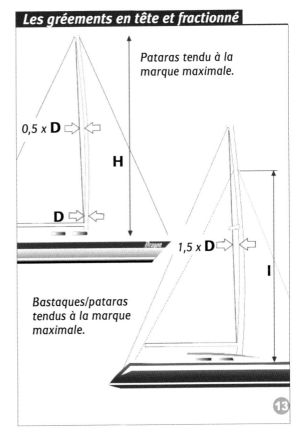

Pataras tendu à la marque maximale.

$0,5 \times$ **D**

H

D

$1,5 \times$ **D**

I

Bastaques/pataras tendus à la marque maximale.

Le gréement fractionné I

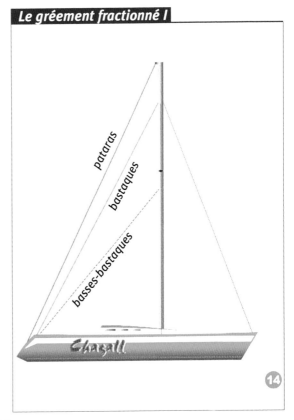

pataras

bastaques

basses-bastaques

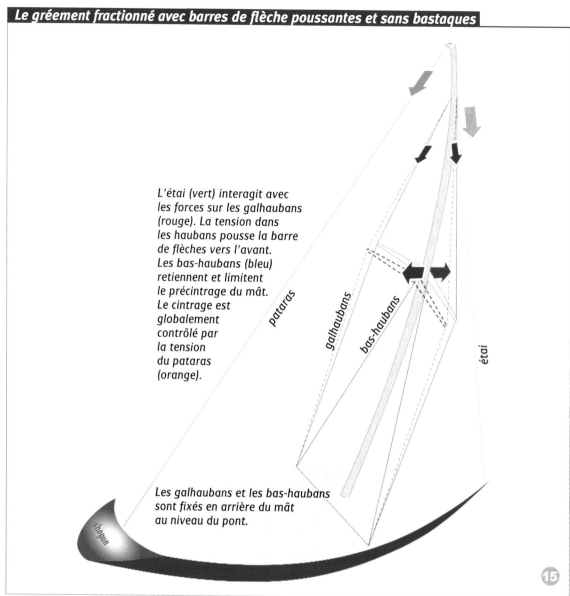

L'étai (vert) interagit avec les forces sur les galhaubans (rouge). La tension dans les haubans pousse la barre de flèches vers l'avant. Les bas-haubans (bleu) retiennent et limitent le précintrage du mât. Le cintrage est globalement contrôlé par la tension du pataras (orange).

pataras

galhaubans

bas-haubans

étai

shogun

Les galhaubans et les bas-haubans sont fixés en arrière du mât au niveau du pont.

15

Ce type de gréement est aujourd'hui très courant. Il est dépourvu de bastaques car les barres de flèche sont poussantes, c'est-à-dire angulées vers l'arrière.

Lorsque les galhaubans sont tendus, les barres de flèche poussent vers l'avant pour induire un cintrage. Ce précintrage est limité par les bas-haubans.

Plus les bas-haubans sont tendus, plus le mât reste droit. L'étai se tend par réaction à la tension dans les haubans.

Lorsque les galhaubans sont tendus, le point au capelage de l'étai recule augmentant ainsi la tension d'étai. Le gréement se compose uniquement de galhaubans, d'un étai et de bas-haubans.

Il n'y a pas besoin de bastaques pour régler le cintrage du mât ni du pataras lors des empannages.

Le problème de ce type de gréement est la difficulté à contrôler la tension d'étai dans différentes forces de vent.

L'étai a tendance à devenir relativement mou quand le vent monte. Les capacités de remontée au vent s'en ressentent.

Pour compenser ce phénomène, les galhaubans doivent être tendus plus fortement que sur les autres gréements. Tendez si possible les galhaubans à **20 %** de la tension de rupture.

Le gréement fractionné, avec barres de flèche poussantes, reste pour les raisons évoquées ci-dessus, difficile à régler parfaitement.
Ce gréement simple et courant est idéal pour des voiliers de petite taille mais moins adapté à des unités de plus de 40 pieds.

Réglages sous voiles

Le mât doit être correctement centré, avec une quête et une tension normale dans les galhaubans.

> ▶ *A ce stade, les bas-haubans ne doivent être que tendus à la main. Avec deux paires de bas-haubans, leur tension relative affecte le cintrage du mât. Les bas-haubans avant doivent être plus tendus que les arrières. À l'inverse, ces derniers doivent rester plutôt lâches avant l'envoi des voiles.*
> ▶ *Raidissez éventuellement à la main, les haubans intermédiaires.*
> ▶ *Tendez le pataras à 2/3 de la tension maximale.*
> ▶ *Notez les réglages aux ridoirs avant toute modification.*

Les réglages suivants doivent alors être établis par un vent faisant gîter le voilier à 20-25 degrés et avant que la mer se forme.

> ▶ *Vérifiez la tension des galhaubans en observant le hauban sous le vent qui doit être tendu à la main.*
> ▶ *Ajustez ensuite le bas-hauban pour que le mât reste rectiligne sur toute sa longueur.*
> ▶ *Si le voilier possède deux paires de bas-haubans, ajustez-les de manière à ce que le précintrage ne change pas et que le mât reste centré. Le bas-hauban avant accentue le cintrage et doit être plus tendu que l'arrière qui prévient de tout cintrage excessif par vent fort. Ce dernier doit rester relativement lâche au port.*
> ▶ *Les réglages des galhaubans doivent être réalisés de conserve avec les bas-haubans.*

Vérification des tensions de galhaubans. Il est évident que les haubans doivent être tendus symétriquement. Vérifiez la tension du hauban sous le vent qui doit être tendu, sans flotter sous le vent. Si ce hauban est trop mou, reprenez un ou deux tours maximum sur le ridoir. Virez de bord et reportez ce réglage sur l'autre amure. Recommencez jusqu'à ce que vous soyez satisfait de l'ensemble.

> *Le galhauban sous le vent ne doit pas être totalement lâche, il faut simplement le tendre jusqu'à ce qu'il ne s'incurve plus sous le vent.*

Les galhaubans sont maintenant réglés. N'oubliez pas d'insérez les goupilles de blocage !

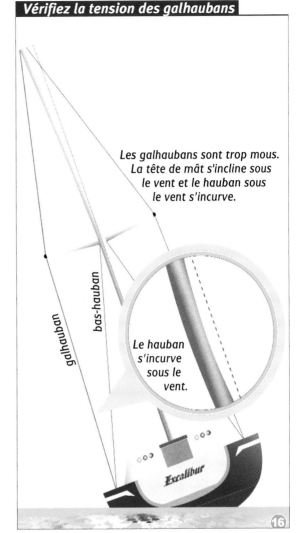

Vérifiez la tension des galhaubans

Les galhaubans sont trop mous. La tête de mât s'incline sous le vent et le hauban sous le vent s'incurve.

Le hauban s'incurve sous le vent.

galhauban

bas-hauban

Excalibur

Vérifiez les barres de flèche

a
b

a b

Il est crucial que les barres de flèche soient sur la bissectrice de l'angle formé par les galhaubans.

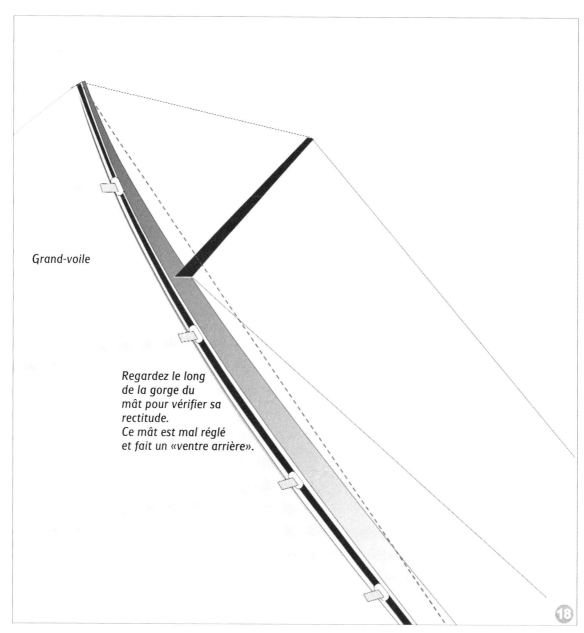

Grand-voile

Regardez le long
de la gorge du
mât pour vérifier sa
rectitude.
Ce mât est mal réglé
et fait un «ventre arrière».

Tenue latérale du mât

Placez-vous au niveau de la gorge du mât. Visez la tête de mât depuis la bôme pour vérifier sa rectitude.
Si le mât n'est pas droit, ajustez les bas-haubans et les haubans intermédiaires (réglages décrits page 71).

Comme nous l'avons déjà précisé, il est important de toujours régler les haubans côté sous le vent car ils ne sont pas sous tension. Si vous souhaitez ajuster un hauban au vent, virez de bord et faites un ou deux tours maximum sur le ridoir.

Virez à nouveau de bord et vérifiez ce réglage.

Réglages ultérieurs

Si le voilier est trop ardent après réglage du gréement, vous devez diminuer la quête du mât.
Sur un gréement en tête, il faut conjointement détendre le pataras. Le gréement dormant s'étire avec le temps et doit être vérifié régulièrement. Un gréement neuf doit être observé après plusieurs heures, car il a tendance à beaucoup travailler et s'allonger au cours des premières sorties. Vous devez pouvoir, à n'importe quel moment, reprendre le réglage du gréement depuis le début. Détendez alors étai, pataras et haubans, retirez les cales de l'étambrai et recommencez le processus depuis la figure 2.

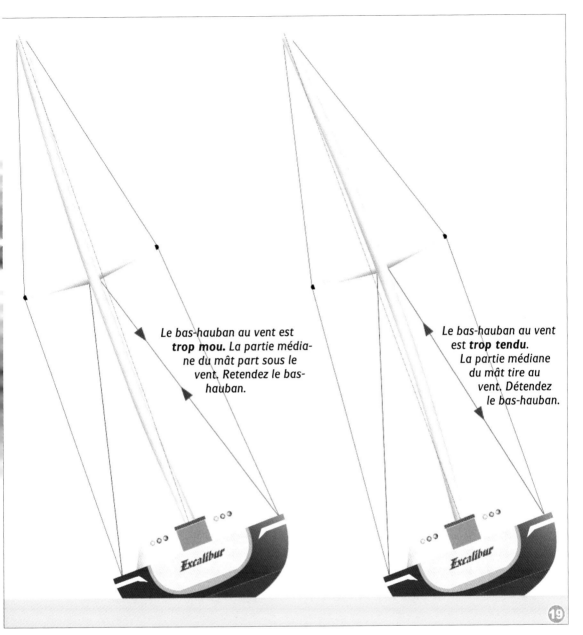

Le bas-hauban au vent est **trop mou.** La partie médiane du mât part sous le vent. Retendez le bas-hauban.

Le bas-hauban au vent est **trop tendu**. La partie médiane du mât tire au vent. Détendez le bas-hauban.

Réglages des bas-haubans

Quand vous commencez les réglages sur les bas-haubans, ces derniers sont légèrement mous. En navigation, le hauban au vent est toujours sous tension. Si vous détendez un hauban au vent, la partie médiane du mât va fléchir sous le vent. Si vous tendez le hauban, elle sera tirée au vent. Le but est d'assurer une bonne tenue latérale du mât même avec un angle de gîte du voilier de 20-25 degrés.

Reprenez un tour sur le ridoir sous le vent et virez de bord. Vérifiez la rectitude du mât. Répétez la procédure jusqu'à ce que le mât soit droit sur chaque bord.

Des bas-haubans correctement réglés seront plus mous que les galhaubans une fois au port.

Double paire de bas-haubans : si le voilier est équipé de deux paires de bas-haubans, réglez-les de manière à ne pas modifier le cintrage du mât, comme expliqué page 71.

La procédure est la même que pour un gréement à une seule paire de bas-haubans. Cependant, veillez à tendre ou (détendre) en même temps les deux bas-haubans sous le vent avant de virer de bord et vérifiez la rectitude du mât.

Les bas-haubans avant doivent être plus tendus que les bas-haubans arrière.

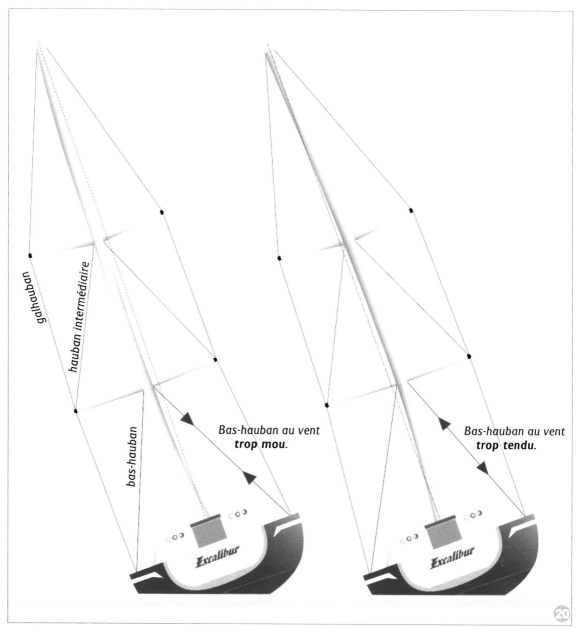

galhauban

hauban intermédiaire

bas-hauban

Bas-hauban au vent
trop mou.

Bas-hauban au vent
trop tendu.

Gréements à étages de barres de flèche multiples

Certains experts affirment que la marche à suivre est de tendre les galhaubans, de régler les bas-haubans puis de continuer avec les haubans intermédiaires ; ce qui reste la méthode la plus courante.

Sur le voilier de gauche, il est évident que le bas-hauban au vent est trop mou et doit être réglé. Sur le voilier de droite, le bas-hauban au vent est trop tendu et doit être progressivement détendu jusqu'à ce que le mât redevienne droit.

Ajustez toujours le hauban sous le vent par un ou deux tours sur le ridoir. Puis virez de bord et contrôlez le résultat.

N'essayez jamais de régler un hauban au vent qui est en tension. Il est très facile d'abîmer le pas de vis du ridoir.

Que vous régliez les bas-haubans en premier puis les haubans intermédiaires ou le contraire, ne retouchez plus aux réglages des haubans. Sinon, vous devriez en effet reprendre le processus de réglage depuis le début. Cette règle s'applique quel que soit le nombre de barres de flèche du voilier.

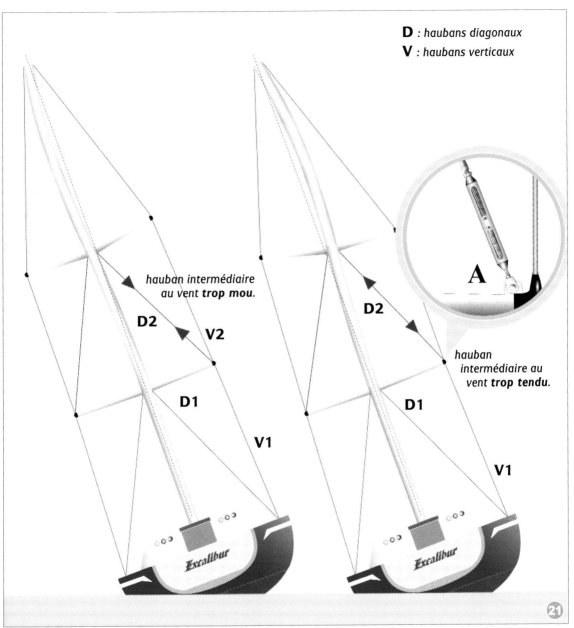

D : haubans diagonaux
V : haubans verticaux

hauban intermédiaire au vent **trop mou.**

D2
V2
D1
V1

A

D2

hauban intermédiaire au vent **trop tendu.**

D1
V1

Excalibur

Excalibur

21

Dans les deux cas présentés ci-dessus, il est évident que la partie supérieure du mât est incurvée alors que la partie inférieure reste droite. C'est en réglant les haubans intermédiaires qu'il sera possible de retrouver un mât parfaitement droit.

Sur le voilier de gauche, la partie haute du mât s'incurve sous le vent. Le hauban intermédiaire au vent est trop mou et doit être retendu progressivement.

Sur le voilier de droite, le hauban intermédiaire au vent est trop tendu, la partie haute du mât est « tirée » au vent. Cela peut laisser penser que les galhaubans sont trop mous et que la partie haute du mât s'incline sous

le vent. Cependant, à ce stade vous avez déjà vérifié et optimisé les réglages définitifs des galhaubans. La cause du problème est donc ailleurs. Il faut en effet détendre progressivement le hauban intermédiaire au vent jusqu'à ce que le mât retrouve sa rectitude.

Certains haubans intermédiaires redescendent sur le pont d'où ils peuvent être réglés. Il s'agit de haubans intermédiaires continus **(V1 et V2).**

Les autres sont discontinus et sont gréés en diagonale d'une barre de flèche à l'autre **(D1 et D2).** Ces haubans intermédiaires se règlent au niveau de la fixation sur la barre de flèche **(A).**

75

Synthèse des réglages

Gréement en tête

1 Tendez à la main les galhaubans
jusqu'à la verticalité du mât **62**
2 Réglez la quête avec l'étai et le pataras **63**
3 Tendez les haubans à 15 %
de la tension de rupture **66**
4 Précintrez le mât **67**
5 Vérifiez et réglez le cintrage maximum **69**
6 Vérifiez et réglez les galhaubans
en navigation..**71**
7 Vérifiez la rectitude du mât en navigation **72-75**

Note : gréement avec 1 bas étai ou 2 bas haubans avant.

Gréement fractionné 1
avec bastaques

1 Tendez à la main les galhaubans
jusqu'à la verticalité latérale du mât...............**62**
2 Réglez la quête avec l'étai
et les bastaques **63**
3 Tendez les haubans à 15 %
de la tension de rupture **66**
4 Précintrez le mât **67**
5 Vérifiez et réglez le cintrage maximum **69**
6 Vérifiez et réglez les galhaubans
en navigation..**71**
7 Vérifiez la rectitude du mât en navigation **72-75**

Gréement fractionné 2
avec barres de flèche poussantes,
sans bastaques

1 Tendez à la main les galhaubans
jusqu'à la verticalité latérale du mât...............**62**
2 Réglez la quête avec l'étai et le pataras **63**
3 Tendez les haubans à 20 %
de la tension de rupture **66**
4 Précintrez le mât **67**
5 Vérifiez et réglez le cintrage maximum **69**
6 Vérifiez et réglez les galhaubans
en navigation..**71**
7 Vérifiez la rectitude du mât en navigation **72-75**

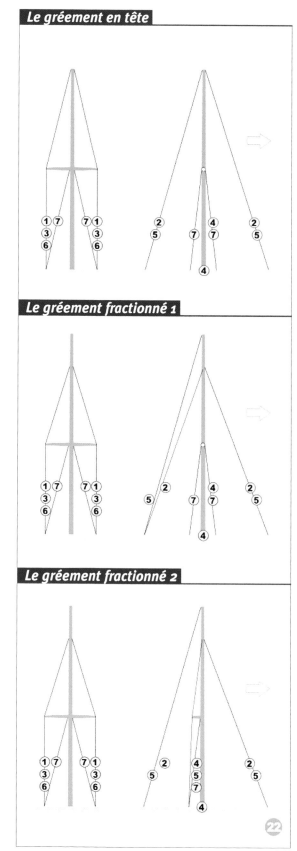

Le gréement en tête

Le gréement fractionné 1

Le gréement fractionné 2

Conseils

Le pas des ridoirs. Montez toujours les tiges de ridoirs avec le pas à droite, en bas. Cela permet de se souvenir dans quel sens on doit tourner pour tendre ou détendre. Lorsque vous voulez tendre les haubans, l'étai ou le pataras, imaginez le ridoir comme un boulon ordinaire (pas à droite) que vous serrez sur un écrou fixé au pont.

Les axes de ridoirs sont retenus par des goupilles fendues (fig. 23). Pour assurer les ridoirs une fois réglés, on utilise souvent des goupilles fendues ou des anneaux brisés. Il est indispensable de protéger les ridoirs et axes avec du ruban adhésif, ce qui évitera aux écoutes ou aux voiles de s'accrocher et de se déchirer dessus.

Il existe aussi de simples mais ingénieux systèmes de blocage pour ridoirs beaucoup plus faciles à défaire et à remettre quand on veut parfaire le réglage. De plus, ils épousent la forme du ridoir.

pince de blocage

goupille fendue

anneau brisé

Cintrage latéral du mât. Dans le cas d'un gréement en tête, quand la tête du mât fléchit sous le vent, l'angle formé par le galhauban et le mât se réduit. Les contraintes dans le hauban augmentent à mesure que l'angle diminue. Elles peuvent devenir si importantes que le hauban peut s'arracher, ou le capelage se rompre, conduisant à la rupture du mât. C'est pourquoi la tension correcte du galhauban est essentielle.

L'étai va également se détendre à mesure que la tête de mât fléchit sous le vent. Le pataras va lui aussi tirer sous le vent lorsque le vent augmentera. Le cintre augmente et le génois se creuse quand on aurait besoin d'aplatir les voiles.

Sur un gréement fractionné, l'angle entre le galhauban et le mât ne se réduit pas autant que pour un gréement en tête, lorsque la tête de mât se cintre sous le vent. La tête de mât va agir, dans ce cas, comme un amortisseur dans les survontes, par l'aplatissement de la grand-voile et l'ouverture de la chute à mesure que le mât fléchit sous le vent, en même temps que le milieu du mât presse au vent dans les survontes.

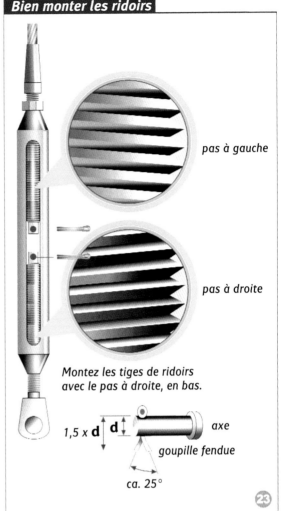

pas à gauche

pas à droite

Montez les tiges de ridoirs avec le pas à droite, en bas.

$1,5 \times d$ d axe

goupille fendue

ca. 25°

le gréement fractionné ou en tête

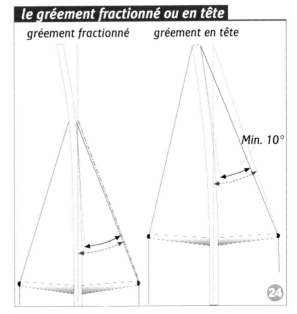

gréement fractionné gréement en tête

Min. 10°

Pourquoi les galhaubans sont-ils précontraints ?

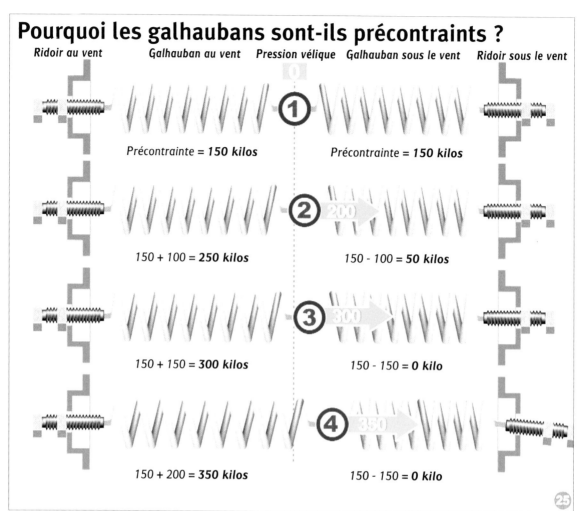

Ridoir au vent — Galhauban au vent — Pression vélique — Galhauban sous le vent — Ridoir sous le vent

① Précontrainte = **150 kilos** Précontrainte = **150 kilos**

② 150 + 100 = **250 kilos** 150 - 100 = **50 kilos**

③ 150 + 150 = **300 kilos** 150 - 150 = **0 kilo**

④ 150 + 200 = **350 kilos** 150 - 150 = **0 kilo**

L'exemple montre de façon un peu simplifiée, le rôle du galhauban sur la tête de mât. Les deux haubans ont, dans ce cas précis, une précontrainte de 150 kilos.

Le gréement est d'abord soumis à une pression latérale du vent de 200 kilos. Sans précontrainte, c'est le hauban au vent qui subit tous les efforts, le hauban sous le vent devenant mou. Mais le hauban sous le vent étant déjà précontraint de 150 kilos, il se raccourcira autant que le hauban au vent s'allongera, à mesure que la tête de mât fléchit sous le vent sous l'effet de la pression vélique.

La tension du hauban au vent augmente ainsi, autant qu'elle se réduit sous le vent, dans ce cas de 100 kilos. La tête de mât se déplace donc seulement de la moitié de ce qu'elle aurait fait sans précontrainte.

La contrainte dans le hauban au vent sera égale à la précontrainte **plus** la moitié de la force du vent : c'est-à-dire : **150 kilos + 100 kilos = 250 kilos.**

La contrainte, dans le hauban sous le vent, sera égale à la précontrainte **moins** la moitié de la force du vent : c'est-à-dire **150 kilos - 100 kilos = 50 kilos.**

Augmentons maintenant la force du vent à **300 kilos** (3). On voit que la tension du hauban sous le vent devient nulle (0 kilo). Toute la précontrainte est « utilisée », mais jusqu'alors, la tête de mât n'a fléchi que de la moitié de ce qu'elle aurait fait sans précontrainte.

Augmentons encore la force du vent à **350 kilos** (4). On constate que le hauban sous le vent doit encaisser toute l'augmentation de la force de 50 kilos à lui seul. La contrainte au vent est passée de 300 à 350 kilos alors qu'elle reste nulle dans le hauban sous le vent détendu. Ceci conduit le mât à se cintrer sous le vent deux fois plus vite que s'il avait été précontraint à 175 kilos ou plus : **175 kilos - 350 kilos/2 = 0 kilo.**

Ceci explique pourquoi il est important de tendre les haubans de telle sorte que la tension du hauban sous le vent ne disparaisse que pour les forces de vent extrêmes que le gréement subira. La précontrainte augmente les efforts statiques dans le gréement, mais lui permet d'amortir les variations d'efforts du vent, en même temps qu'elle permet de mieux contrôler la tête de mât.

Cet ouvrage a été imprimé par l'imprimerie Chirat à Saint-Just-la-Pendue.
©2003-ISBN 2-951 766-2-X
Dépot légal : novembre 2003 - N° 9852